Alderwood Middle

Edmonds School District

P9-BJJ-170

68614902

TODO ESSE TEMPO

Rachael Lippincott e Mikki Daughtry

TODO ESSE TEMPO

Rachael Lippincott e Mikki Daughtry

Tradução

Isadora Sinay

Copyright © 2020 by Mikki Daughtry e Rachael Lippincott.
Copyright da tradução © 2020 by Editora Globo S.A.

Todos os direitos reservados. Nenhuma parte desta edição pode ser utilizada ou reproduzida — em qualquer meio ou forma, seja mecânico ou eletrônico, fotocópia, gravação etc. — nem apropriada ou estocada em sistema de banco de dados sem a expressa autorização da editora.

Brazilian Portuguese language copyright ©2020 by Editora Globo S.A.
Original English language copyright © 2020
Published by arrangement with Simon & Schuster Books For Young Readers,
An imprint of Simon & Schuster Children's Publishing Division
All rights reserved. No part of this book may be reproduced or transmitted in any form or by any means, electronic or mechanical, including photocopying, recording or by any information storage and retrieval system, without permission in writing from the Publisher.

Título original: *All This Time*

Editora responsável **Veronica Gonzalez**
Assistente editorial **Lara Berruezo**
Diagramação **Renata Zucchini**
Projeto gráfico original **Laboratório Secreto**
Preparação de texto **Fernanda Marão**
Revisão **Monise Martinez**
Capa **Lisa Perrin** e **Lizzy Bromley**

Texto fixado conforme as regras do Acordo Ortográfico da Língua Portuguesa (Decreto Legislativo nº 54, de 1995).

CIP-BRASIL. CATALOGAÇÃO NA PUBLICAÇÃO
SINDICATO NACIONAL DOS EDITORES DE LIVROS, RJ

L743t
    Lippincott, Rachael
        Todo esse tempo / Rachael Lippincott, Mikki Daughtry ; tradução Isadora Sinay. – 1. ed. – Rio de Janeiro : Alt, 2020.

        Tradução de: All this time
        ISBN 978-65-88131-08-4

        1. Romance americano. I. Daughtry, Mikki. II. Sinay, Isadora. III.
Título.

20-67420
                                 CDD: 813
                                 CDU: 82-31(73)

Leandra Felix da Cruz Candido – Bibliotecária – CRB-7/6135

1ª edição, 2020 - 2ª reimpressão, 2021

Direitos de edição em língua portuguesa para o Brasil adquiridos por Editora Globo S.A.
R. Marquês de Pombal, 25
20.230-240 – Rio de Janeiro – RJ – Brasil
www.globolivros.com.br

TODO ESSE TEMPO

Rachael Lippincott e Mikki Daughtry

Tradução
Isadora Sinay

Para todo mundo que já teve uma Marley.
Nunca a deixe ir embora.

M.D.

Para Mikki.

R.L.

1

Sinto o peso da pulseira de berloques na palma da minha mão. Eu já a examinei umas mil vezes, mas olho de novo porque sei que ela precisa ser perfeita, capaz de consertar tudo o que precisa de conserto. Eu até pensei em comprar pulseiras mais finas e delicadas, como as que Kimberly normalmente usa, mas algo nessa me tocou, seus elos prateados sólidos e firmes, iguais ao nosso relacionamento... na maior parte do tempo.

Há uns meses, quando eu encomendei a pulseira, era para ser um presente para comemorar a nossa formatura, e não um presente de "me-desculpa-vamos-nos-acertar", mas Kimberly tem estado quieta nos últimos tempos. Distante. Como ela sempre fica quando estamos brigados.

Apesar de que, até onde saiba, não estamos brigados, então nem sei pelo quê eu deveria pedir desculpas.

Eu solto um longo suspiro e observo meu reflexo no espelho do banheiro do hotel, conferindo se as cabines estão vazias. Franzo a testa enquanto passo os dedos pelo meu cabelo castanho bagunçado e tento arrumá-lo do jeito que Kim gosta. Depois de algumas tentativas frustradas, meu cabelo e eu desistimos e volto a focar minha atenção na pulseira pela última vez.

Os berloques de prata reluzente se esbarram quando eu os examino, e o barulho se mistura com os sons abafados da festa de formatura do ensino médio vindos do outro lado da porta. Talvez, quando ela vir a pulseira, ela finalmente me diga qual é o problema.

Ou, vai saber. Talvez ela só me beije e diga que me ama e o problema não tinha nada a ver comigo, para começo de conversa.

Eu me aproximo para observar os seis pequenos berloques, um para cada ano que passamos juntos. Eu dei muita sorte quando encontrei uma pessoa no Etsy para me ajudar a desenhá-los, já que eu não tenho nenhum talento artístico. Agora, isso é mais do que uma pulseira. É nossa vida juntos.

Meu dedão desliza suavemente pelos pedaços da nossa história, alguns dos berloques cintilando quando refletem a luz.

Um par de pompons de líder de torcida esmaltados em azul e branco, quase idênticos aos que Kimberly estava segurando como capitã da equipe na noite em que eu pedi a ela para ser oficialmente minha namorada.

Uma pequena taça de champanhe dourada, com minúsculas bolhas brilhantes, uma lembrança do convite elaborado que eu fiz alguns meses atrás, quando a chamei para a formatura. Eu roubei uma garrafa de champanhe do armário da minha mãe para surpreendê-la. Minha mãe me deixou de castigo até o fim dos tempos, mas valeu a pena só pelo brilho nos olhos de Kimberly quando eu estourei a garrafa.

Eu paro no berloque mais importante, colocado exatamente no meio da pulseira. Um diário prateado, com um fecho de verdade.

Ainda no ensino fundamental, nós estávamos estudando na cozinha da casa dela quando ela saiu para ir ao banheiro. Eu tirei o diário cor-de-rosa da mochila dela e escrevi "Eu ♡ vc" nas primeiras três páginas em branco.

Ela chorou quando viu, mas em seguida as lágrimas se transformaram em acusações.

— Você leu todos os meus segredos? — Ela gritou, apontando para mim com uma mão e segurando o caderno com força junto ao peito com a outra.

— Não — eu disse e girei meu banco na direção dela. —, eu só achei que seria... Não sei. Romântico.

E então ela se atirou em cima de mim. Eu a deixei me derrubar no chão porque era emocionante ter aquele rosto lindo tão perto do meu e ver a irritação dela morrer quando nossos olhos finalmente se encontraram.

— Foi — ela disse e então os lábios dela, hesitantes, encontraram os meus.

Nosso primeiro beijo. Meu primeiro beijo.

Com cuidado, eu abro o pequeno berloque e viro suas delicadas páginas de prata, três no total, que dizem "Eu ♡ vc". Nós provavelmente sempre teremos alguma briguinha, mas sempre vamos amar um ao outro.

Observo os elos vazios da pulseira com um sorriso no rosto, pois desejo que eles sejam preenchidos com mais vida e mais memórias que construiremos juntos. Um para cada ano que passaremos na UCLA. E depois disso eu comprarei outra pulseira para preenchermos também.

A porta do banheiro se abre com tudo, causando um estrondo ao se chocar no protetor anti-impacto preso na parede. Eu rapidamente guardo a pulseira de volta em sua caixa de veludo e os berloques batem um no outro quando um grupo de caras do time de basquete entra. Escuto uma sinfonia de "Kyle, como vai cara?" e "Turma de 2020, irmão!" Eu sorrio para todos eles e deslizo a caixa para o bolso do meu paletó. Quando faço isso, meus dedos tocam o cantil de Jack Daniel's enfiado no cinto, o primeiro passo no meu plano para convencer meus dois melhores amigos a abandonarem a festa de formatura oficial e irem comigo para o nosso point no lago, onde podemos comemorar de verdade.

Mas, primeiro... preciso dar a ela essa pulseira. Eu saio pela porta do banheiro e um breve corredor me leva ao salão de baile lotado de um hotel superchique.

Passo por baixo de um mar de balões azuis e brancos, as cores do Colégio Ambrose, vários deles já soltos e deslizando no alto do teto abobadado. No centro do salão uma faixa enorme, da qual descem várias fitas, saúda em letras garrafais: "PARABÉNS, FORMANDOS!"

O barulho passa por mim como uma onda, uma atmosfera eletrizada de "NÓS CONSEGUIMOS!" emanando por todos os cantos. Eu entendo. Depois desse último ano, estou mais do que pronto para ir embora daqui.

Eu abro caminho por grupinhos completamente aleatórios de pessoas. Os poucos passos no palco para receber o diploma um pouco mais cedo parecem ter diluído tudo que importava tanto hoje de manhã. O esporte que cada um praticava. As notas. Quem te chamou ou *não chamou* para a formatura. O motivo misterioso pelo qual o sr. Louis te perseguiu o semestre todo.

De repente, Lucy Williams, a representante da turma, está flertando com Mike Dillon, o maconheiro que repetiu o primeiro ano duas vezes, enquanto isso os campeões da olimpíada de matemática trabalham em conjunto com dois dos meus amigos da linha ofensiva em uma tentativa de roubar cerveja do bar.

Nesta noite somos todos iguais.

— Ei, Kyle. — Uma mão segura um pouco forte demais o meu ombro ruim. Eu tento evitar uma careta enquanto me viro e vejo Matt Paulson, o cara mais legal do planeta, o que faz eu me sentir um babaca por detestá-lo. — Ah, desculpa — ele diz quando nota o ombro no qual sua mão estava e rapidamente a retira. — Você ficou sabendo que eu vou jogar pela Boston College ano que vem?

— Ah, é — eu digo, tentando engolir a conhecida onda de inveja que começa a espumar. *Não é culpa dele,* eu lembro a mim mesmo. — Parabéns, cara.

— Sabe, se você não tivesse comandado o time daquele jeito no início da temporada eu nem teria passado pelo radar deles. Você foi um belo *quarterback.* Eu não teria conseguido uma bolsa pra jogar se não fosse por tudo que você me ensinou. — Ele diz, sem saber que assim está colocando o dedo na ferida. — E eu sinto muito pelo o que aconteceu...

— Está tudo bem. — Eu o interrompo e então estendo a mão para não parecer um idiota. — Boa sorte no ano que vem. — Eu solto o aperto de mão e viro para continuar minha busca, meus pés se movendo com rapidez para aumentar ao máximo a distância entre nós. Só existe uma pessoa que eu quero ver agora.

Eu paro perto do bar e estico meu pescoço para procurar Kim na multidão, meus olhos saltando de uma pessoa para outra sem sucesso.

— Canapé? — Uma voz pergunta ao meu lado.

Eu olho para o lado e vejo um homem estendendo uma bandeja de canapés na minha direção, formas arredondadas em um prato branco impecável. Ele me dá um sorriso artificial que grita *eu mal posso esperar para ir embora daqui duas horas.*

Eu noto o logo do Owl Creek na camisa dele, o único restaurante mais ou menos perto daqui que já apareceu no canal Food Network por causa da sua "cozinha descolada e moderna".

Aparentemente, até o Gordon Ramsay comeu lá e não conseguiu achar do que reclamar.

— Por favor — digo com um sorriso rápido. Então pego um e enfio a coisa toda na minha boca antes que o garçom continue sua ronda.

Eu me arrependo na hora.

Isso é camarão? Borracha? Por que *raios* é tão difícil de mastigar? E por que tem gosto de presunto velho?

Claramente, o Gordon não provou o que quer que seja essa carne grudenta.

Eu olho para os dois lados antes de abaixar a cabeça e cuspir a coisa no guardanapo preto que o garçom me deu, mas um flash súbito ao meu lado me faz dar um salto.

Eu ergo a mão que está livre do guardanapo, meio cego, os pontos escuros no meu campo de visão lentamente desbotando e abrindo caminho para calorosos olhos castanhos e maçãs do rosto altas, idênticas às minhas. Ela está usando seu vestido branco floral preferido e eu consigo ver o enorme sorriso por trás do celular.

— Mãe, não... — Eu começo a dizer, mas ela toca o botão de foto de novo e outro raio de luz ataca meus globos oculares.

— Sabe, se você vai tirar fotos vergonhosas de mim, pelo menos tire o flash. Você não precisa me cegar.

— Ah, as meninas no Insta vão *amar* isso — ela diz, dando uma risadinha malvada e apertando os olhos enquanto digita algo em sua tela.

— Mãe, não posta isso. — Eu digo enquanto vou para cima dela. Eu a puxo para um meio abraço em uma tentativa de distraí-la enquanto tento arrancar o celular da sua mão. Enquanto faço isso, eu vejo a foto: estou com uma expressão de horror, os olhos meio fechados, o camarão borrachento pendurado na minha língua e a caminho do guardanapo.

De jeito nenhum eu vou deixar as "meninas do Insta" verem isso. Ou *qualquer outra pessoa*, aliás.

Kim nunca me deixaria esquecer disso.

Ela solta um pouco a mão quando se inclina na direção do abraço e eu pesco o celular para deletar a foto.

— Nem pensar, mãe.

— Certo — ela diz, fingindo fechar a cara com um bico, o rosa suave do seu batom destacando seus lábios virados para baixo. — Parta o coração da sua velha mãe. Eu não posso ter nada mesmo.

Eu rio, dando um beijo no rosto dela enquanto a envolvo em um abraço verdadeiro, tomando cuidado para que ela não sinta o cantil enfiado no meu cinto.

— Você tem a mim, não tem?

Ela solta um suspiro dramático.

— Acho que você vai ter que servir. — A voz dela está abafada contra o tecido grosso do meu paletó. — Ei — ela diz, se afastando e sorrindo. — Por que você está sozinho? Já deu a pulseira a ela?

Meu coração acelera como costumava acontecer antes de um jogo de futebol americano.

— Estou esperando o momento certo. — Eu digo enquanto faço uma busca rápida pelo salão. — Você a viu?

— Ela estava com Sam, no terraço, uns minutos atrás — ela diz apontando com a cabeça para a direita, no sentido das janelas que ocupam a parede inteira e nos separam dos gigantescos terraços de pedra com vista para o pátio do hotel.

Ela estica o braço para arrumar com delicadeza o nó da minha gravata com um pequeno sorriso no canto dos lábios. É um nó Windsor. Não que eu seja pretensioso ao ponto de conhecer algum outro, mas ela passou a manhã da minha festa do oitavo ano aprendendo como fazer o nó *só* para poder me ensinar. Foi a primeira festa da escola que eu fui com a Kim.

Minha mãe acompanhou tudo.

— Você acha mesmo que ela vai gostar? — Pergunto. Eu estava tão seguro quando encomendei, mas agora...

— Com certeza. — Ela dá uma batidinha suave no meu rosto.

Mais tranquilo, eu devolvo o celular a ela. Grande erro.

Ela o agarra e rapidamente tira mais duas fotos, ainda com flash, e ele agora estoura nos meus olhos. Eu tento olhar feio, mas os pés de galinha em volta dos olhos dela franzem quando ela dá um sorrisinho inocente, e isso desmancha minha cara feia. Nada vai me irritar hoje, nem mesmo minha mãe registrando incessantemente a minha vida.

Então eu sorrio, poso para uma última foto e quando ela fica satisfeita saio para finalmente encontrar a Kim. Eu jogo o guardanapo amassado em uma lata de lixo enquanto sigo para o terraço, onde o céu está escuro e sinistro do outro lado do vidro.

Eu não costumo demorar muito para encontrá-la.

Ela sempre teve essa energia, esse magnetismo que atrai as pessoas para sua órbita. Na escola eu normalmente preciso abrir caminho em meio a uma multidão de pessoas para chegar até ela, é só procurar o maior grupo de pessoas e o brilho daquele tom particular de loiro que consegue capturar qualquer luz do ambiente.

O cabelo dela é assim desde que eu me lembro, com a mesma cor de quando brigávamos pelo último balanço do parquinho no quarto ano.

Eu me enfio na multidão e as pessoas se afastam para me deixar passar, sorrisos e acenos vindos de todas as direções.

— Vou sentir falta dos seus artigos na seção de esportes no ano que vem, Lafferty — diz o sr. Butler, meu professor de jornalismo, e me dá um tapinha nas costas quando eu passo por ele. Outra lembrança de todo o tempo que passei no banco, escrevendo sobre jogos em vez de participando deles.

Onde ela *está*?

O globo espelhado no teto lança faíscas de luz reluzente, o que torna difícil enxergar qualquer coisa. Eu estou prestes a pegar meu celular e mandar uma mensagem quando...

Ali.

O cabelo loiro dela aparece por trás dos ombros largos de Sam quando ela passa suavemente o peso para o quadril esquerdo, o vestido de seda abraçando as laterais do seu corpo. Ela está incrível, o cabelo comprido esvoaçando em torno dos ombros, olhos azuis vivos e abertos, os lábios brilhando de gloss.

Mas quando eu me aproximo, vejo que seu rosto está sério, a familiar ruga em sua testa se formando enquanto ela fala, como sempre acontece quando tem alguma coisa errada. É uma expressão que eu vi semana passada, na cerimônia antes da formatura, e hoje à tarde quando estávamos posando para fotos – mas, toda vez que eu pergunto, ela faz tudo sumir com um aceno de mão.

Vejo que Sam está passando os dedos pelos cabelos escuros com nervosismo.

E é aí que eu me toco de que eles devem estar conversando sobre a UCLA. A tensão derrete por cima dos meus ombros. Kim e eu já nos matriculamos, mas Sam tinha ficado na lista de espera. Sam e eu sempre sonhamos em jogar futebol americano juntos na UCLA, mas depois do meio da temporada isso acabou, graças à minha lesão. Eu decepcionei a nós dois. Depois que fui afastado, Sam errou tantos passes e perdeu tantos bloqueios que ficava no banco quase tanto quanto eu. Quando a perspectiva de seguir jogando morreu para ele, suas notas mergulharam junto com sua carreira no esporte. Então Kim o tem ajudado a enviar algumas redações e a atualizar anexos que com sorte vão virar a balança a favor dele.

A julgar pelas últimas semanas, nós definitivamente vamos precisar dele lá. Ele não só é o amigo que ficou ao meu lado durante a loucura que foi esse último ano, mas também é a cola que mantém nosso trio unido. Ele é a voz da razão em todos os assuntos, especialmente quando Kim e eu brigamos. É ele que nos junta de novo quando as coisas ficam difíceis.

Se ele for aceito, nós ainda poderemos *estudar* na UCLA juntos. Mesmo que não estejamos mais em campo.

Mas, pela expressão no rosto de Kim, parece que isso não vai acontecer.

Eu vou ao encontro deles, passo um braço pela cintura de Kim e me inclino para dar um beijo nela. Ela o retribui quase sem notar, com os lábios distraídos.

— O que aconteceu? Qual o problema? — Eu pergunto, meu olhar indo dela para Sam e voltando para ela.

Ela se inclina para me dar outro beijo e dessa vez seus lábios encontram os meus com firmeza, me acalmando, mas ela não responde.

Estou prestes a perguntar de novo, mas em vez disso ignoro a sensação estranha. Todo mundo está abandonando o que é velho essa noite, então nós também podemos fazer isso. Deixar o que quer que isso seja para trás, pelo menos por enquanto. Eu quero comemorar com eles, e isso é tudo. Olho para os dois lados antes de abrir meu paletó e revelar o cantil que eu contrabandeei.

— O que vocês acham de irmos para o lago e...

As palavras mal saem da minha boca e um raio brilha do outro lado da janela, iluminando todo o céu com sua eletricidade. O vidro treme de leve com o longo estrondo do trovão e meu reflexo ondula, me encarando de volta, mas Sam e Kimberly estão olhando um para o outro.

— *Nah*, cara — ele diz, apontando para o céu. — Eu prefiro não virar churrasquinho esta noite.

— Ah, vamos lá. — Eu digo quando gotas de chuva enormes começam a bater nos vidros. — O que você fez com o Sam? Um pouco de tempo ruim nunca te impediu antes. — Eu bato o dorso da minha mão no ombro dele.

— Lembra da nevasca depois que ganhamos o campeonato estadual dois anos atrás? Eu acho que foi *você* que insistiu pra irmos. Eu tenho quase certeza de que meu dedo ainda está congelado.

Eles não dizem nada. O silêncio me deixa arrepiado e com uma sensação desconfortável.

— O que foi? — Eu pergunto, tentando olhar nos olhos de Kimberly. Mas ela desvia o olhar para a decoração acima do meu ombro. Eu estou começando a desconfiar que isso não é por causa da candidatura de Sam.

Minha mão deixa a cintura dela e eu me afasto.

— O que vocês não estão me contando?

— Eu... — ela começa a falar, mas sua voz morre. Sam desvia o olhar.

A chuva do outro lado do vidro começa a cair com ainda mais força.

— Fala logo — peço mais uma vez enquanto coloco a mão dela na minha como já fiz tantas vezes. Eu olho para o pulso dela e penso na pulseira no bolso do meu paletó, as páginas do pequeno diário prateado que dizem "Eu ♡ vc".

Mas, em seguida, eu noto que ela começa a fazer o movimento nervoso que ela faz sempre que vai me contar algo de que eu não vou gostar. Eu me preparo quando ela finalmente se endireita e me olha bem nos olhos. O ruído da chuva abafa todas as vozes do salão, menos a dela, e a verdade finalmente vem à tona.

— Kyle! — Eu ouço a voz de Kim chamando atrás de mim enquanto as gotas caem fazendo muito barulho no teto de metal do pórtico da frente.

Como ela pôde?

Isso fica repetindo na minha cabeça enquanto desço as escadas. Eu já estou entregando meu ticket para o manobrista quando Kimberly vem correndo atrás de mim. Eu a ignoro.

— Espera, Kyle, por favor — ela diz, tentando tocar meu braço.

No instante em que os dedos dela me tocam, meu instinto é me inclinar na direção dela, mas eu me afasto e arranco as chaves da mão do manobrista enquanto saio na chuva.

— Não se dê ao trabalho. Eu entendi.

Ela me segue, tentando me dar uma porra de explicação que eu não quero ouvir. Se ela quisesse mesmo se explicar, ela devia ter feito isso há muito tempo, em vez de me pegar de surpresa *bem* no dia da nossa formatura.

— Eu devia ter contado, mas eu não queria te magoar...

Um raio corta o céu mais uma vez e um estalo forte de trovão a silencia antes que eu precise dizer alguma coisa. Eu me viro e olho para Kim. O vestido dela está completamente ensopado e seu cabelo agora está escorrido e sem vida em volta do seu rosto.

— Não queria me machucar? — Eu rio. — Agindo pelas minhas costas? Guardando segredos com meu melhor amigo...

— Sam é *meu* melhor amigo também.

— Você *mentiu pra mim,* Kimberly. Por meses. — Eu destranco a porta do carro e a abro com tanta força que ela quase volta. — Considere que você me machucou.

Eu entro no carro e bato a porta.

Berkeley A palavra ecoa na minha cabeça, cada sílaba uma nova facada da traição.

Berkeley. Berkeley.

Ela se candidatou e não me contou. Ela mandou redações adicionais e históricos atualizados, *foi aceita* meses atrás e continuou ali, do meu lado, fingindo. Fingindo enquanto escolhíamos alojamentos e aulas, e conversávamos sobre viagens para casa nas férias sabendo esse tempo todo que ela não iria para a UCLA.

Mas ela contou para o Sam.

Por que ela não contou para mim?

Estou pronto para ir embora, mas ela se senta no banco do carona antes que eu possa engatar a marcha. Eu paro um momento, querendo dizer a ela para sair, mas não consigo.

Nós precisamos resolver isso. *A pulseira ainda está no meu bolso.*

Eu piso no acelerador e nós saímos pelo estacionamento e para a estrada principal, os pneus derrapam no chão molhado quando viramos.

— Kyle! — Ela diz, colocando o cinto. — *Mais devagar.*

Eu ligo os limpadores do para-brisa na velocidade mais rápida, mas ainda não é rápido suficiente para conter a muralha de chuva que cai sobre o vidro, agora embaçado.

— Isso não faz sentido. Nós planejamos o ano todo. Você, eu, Sam. *Nossos* planos. — Eu estico o braço e limpo a condensação o suficiente para conseguir enxergar. Meus dedos batem no pequeno globo espelhado pendurado no meu retrovisor, fazendo-o voar. Na verdade, faz sentido, do jeito da Kimberly. Eu penso em todas as vezes que ela mudou de ideia no último momento, deixando eu e Sam na mão. Tipo a vez em que ela não foi na nossa festa do primeiro ano para sair com as líderes de torcida, ou nos abandonou no meio da prova em grupo para ir trabalhar com a melhor aluna da turma. Momentos que eu escondo bem fundo, mas que ressurgem quando brigamos, tipo agora.

— Você só decide, "dane-se, vou fazer o que eu quero". Como você sempre faz.

Mais um trovão estoura e o relâmpago que o segue reflete no prateado do globo, iluminando o carro todo.

— O que *eu* quero? Eu *nunca* faço o que eu quero. Se você me ouvisse por cinco malditos segundos. — Ela para de falar quando passamos voando pela rua da minha casa, a cabeça dela virando para trás enquanto a rua se afasta. — Você perdeu a entrada.

— Eu vou para o lago — digo.

Eu continuo achando que se nós conseguirmos chegar lá, eu posso salvar essa noite. Eu posso salvar *isso.*

— Pare. Não. Não vai. O lago vai estar um oceano agora. Só faça o retorno.

— Você estava pensando nisso há um tempo, não estava?

— Eu pergunto, ignorando-a. Um trator passa por nós, jogando um jato de água no para-brisa. Eu agarro o volante com mais força, reduzindo a velocidade para estabilizar o carro.

— Você estava, né? Kim, você podia só ter falado que queria estudar em Berkeley, e não na UCLA. Não é como se eu ainda tivesse a bolsa de estudos pelo futebol. Eu não ligo pra onde vamos desde que fique com voc...

— Eu não quero ficar com você!

As palavras são como um tapa na minha cara. Tiro meus olhos da estrada para olhar para ela, essa menina que eu amo desde o quarto ano. Eu já nem a reconheço mais.

Nós "terminamos" muitas vezes no passado, mas não assim. Brigas pequenas e dramáticas que passam no dia seguinte como uma intoxicação alimentar. Ela nunca disse *isso*.

— Quer dizer... — Ela silencia e seus olhos se desviam de mim, arregalados. — Kyle!

Volto os olhos para o para-brisa bem a tempo de ver duas luzes amarelas na nossa frente. Eu enfio o pé no freio e o carro desliza sem diminuir a velocidade.

De repente, eu não tenho mais nenhum controle da direção para qual estamos indo.

Eu luto enquanto tento desviar de um carro parado bem no meio da pista, agarrando o volante com força enquanto tento nos jogar para o acostamento. O carro milagrosamente recupera a tração bem na hora e nós saímos do trajeto do carro parado.

Jogo o carro para o canto e freio cuidadosamente, meu peito arfando.

Essa foi *por pouco.*

— Desculpa. — Eu respiro fundo para me controlar e olho para Kimberly, que está pálida, atordoada, a curva firme da sua clavícula aumentando e voltando enquanto ela se esforça para recuperar o fôlego.

Ela está bem.

Mas nós não estamos.

Eu não quero ficar junto.

— Nós estamos... — Eu começo a dizer, as palavras lutando para sair, lutando para chegar à superfície. — Nós estamos terminando?

Ela olha para mim e eu consigo ver as lágrimas clareando o azul de suas íris. Normalmente, eu secaria suas lágrimas e lhe diria que tudo vai ficar bem.

Mas, dessa vez, eu preciso que *ela* me diga isso.

— Eu preciso que você me ouça — ela diz, com a voz trêmula.

Eu mexo a cabeça, aceitando o quase acidente, limpando a raiva e a substituindo por algo ainda mais intenso:

Medo.

— Eu estou ouvindo.

Meu maxilar tensiona enquanto ela organiza os pensamentos, e começo a mover minha mão até a pulseira de berloques dentro do meu paletó enquanto meu coração martela alto.

— Eu só me conheço como *a namorada do Kyle* — ela finalmente diz.

Eu a encaro, pego de surpresa. O que isso quer dizer?

Ela suspira, absorvendo minha expressão incrédula. Ela procura as palavras certas.

— Quando você arrebentou seu ombro...

— A conversa aqui não é sobre o meu maldito ombro — eu digo, batendo com a mão aberta no volante. Isso é por causa de *nós*.

— É sim — Kimberly diz, correspondendo à minha frustração. — É até demais. Você tinha tantos sonhos, e você ia conquistá-los.

As palavras dela me pegam desprevenido, bem no alvo. Eu faço uma careta quando o fantasma da dor se irradia subitamente pelo meu ombro. Vejo o jogador enorme me bloqueando. O número 9 na sua camisa e suas mãos agarrando meu braço no meio do lançamento, me jogando no chão. Depois... o som nauseante dos meus ossos esmagados e dos meus ligamentos arrebentados quando o corpo dele cai sobre o meu. Jogadas espetaculares, bolsas para a faculdade e uma camisa azul e amarela com meu nome atrás. Todas essas coisas estavam ao alcance dos meus dedos. E se foram com uma jogada.

— Sinto muito — ela diz rápido, como se também pudesse ver. — Eu não consigo imaginar como é ver tudo isso se esvair, os olheiros pararem de aparecer, as bolsas sumirem...

Eu ranjo os dentes e foco na chuva. Ela está tentando me machucar ainda mais?

— Por que estamos falando nisso? Não tem nada a ver com você e eu...

— Kyle. Espera. *Me ouve*. — A voz dela é firme e me cala na hora. — Eu te amava.

Minhas entranhas viram gelo. *Amava*. Passado.

Merda.

— Mas quando você não pôde mais jogar, você mudou. Você se tornou... eu não sei — ela diz, procurando a palavra certa. — *Assustado*. Você ficou com medo de arriscar, com medo de tentar qualquer outra coisa. E eu me tornei seu apoio. Sua muleta. Você sempre precisava que eu estivesse por perto.

Ela só pode estar brincando.

É isso que ela pensa de mim? Sério? Que eu sou medroso e patético? Que não posso fazer nada sozinho?

Ela ficou comigo esses meses todos por *pena?*

— Sinto muito ter sido um fardo pra você — eu digo, me forçando a olhar para ela quando minha mão se move instintivamente para o meu ombro. — Sinto muito por você ter perdido algumas festas. Sinto muito por Janna e Carly terem ido para as Bahamas enquanto você se sentiu obrigada a sentar ao lado da minha cama e me dar sopa porque eu não podia erguer o braço. Mas isso não é culpa minha. Você poderia ter ido embora a qualquer momento...

— Poderia mesmo? Você teria deixado? — Ela me pergunta, sacudindo a cabeça. — Nos vendo todo dia na escola, indo nas mesmas aulas, com a mesma rotina, mas sem estar juntos? Todas as vezes que terminamos, nós não duramos nem um dia.

Se eu teria *deixado?* O que *isso* significa? Nós sempre voltamos porque *queríamos* voltar. Agora... ela diz isso?

— Então, o quê? Você só... fingiu?

— Eu não fingi. Eu só aguentei ali porque eu...

A voz dela se perde, mas eu já sei o que ela vai dizer.

— Porque você já sabia que nós não iríamos para a mesma faculdade — eu digo, sentindo que vou passar mal. — Você ficaria livre de mim.

— Não — ela diz, fechando os olhos enquanto luta para colocar as palavras para fora. — Eu não estou tentando me *livrar* de você. Mas... eu quero saber como é me virar e *não* te ver ali. — A voz dela falha, mas sua espinha se endireita. Ela está falando sério. Ela está falando sério de verdade. Os olhos dela encontram os meus, firmes e seguros. — Eu quero ser eu, só eu, *sem* você.

As palavras me desequilibram, mas eu sustento o olhar dela. Nós olhamos um para o outro, a chuva ainda caindo em jatos contra o teto do meu carro. Há quanto tempo ela se sente assim? Há quanto tempo ela não me ama?

— Kyle, vamos lá — ela continua com uma voz suave. — Pense nisso. Você não quer saber quem você é sem mim?

Eu encaro os faróis tremeluzindo na tempestade. *Sem* ela?

Nós somos *Kimberly e Kyle*. Ela é parte de mim, então eu não posso ser eu sem ela.

A mão dela desliza até a minha e seus dedos apertam suavemente minha pele enquanto ela tenta me fazer olhar para ela.

Mas eu não consigo. Eu olho para o volante, os limpadores de para-brisa e o retrovisor, então finalmente foco no pequeno globo espelhado.

Eu sinto com tudo o que tenho que essa é minha última chance de fazê-la enxergar. Mostrar a ela que meu futuro não era só o futebol.

Era nós dois.

— Eu sei quem eu sou *com* você, Kim — eu digo enquanto enfio a mão no meu paletó. Eu preciso mostrar os berloques a ela, tudo o que temos. Os elos vazios vão lembrá-la do que está por vir. — Antes de se decidir, por favor, só pense em tudo que nós...

O globo espelhado se ilumina, os pequenos espelhos lançando fótons de luz pelo carro.

Então, impacto.

Meu corpo é jogado para a frente. O cinto de segurança agarra meu peito com tanta força que expulsa o ar dos meus pulmões.

Eu registro tudo, lentamente, mas em uníssono.

O carro girando.

O estrondo da buzina de um caminhão.

Faróis iluminando o para-brisa enquanto nós capotamos na direção de um caminhão que se aproxima, uma muralha sólida de metal que voa na nossa direção.

O tempo fica suspenso apenas o suficiente para que eu olhe para Kimberly, seu rosto salpicado com pequenas sardas de luz, seus olhos arregalados de horror. Ela abre a boca para gritar, mas tudo o que ouço é o som do metal se torcendo e estalando.

Depois, escuridão.

2

Dói respirar.

Tudo está muito claro e fora de foco, as vozes e rostos aparecem em explosões de cor e som. Quero fechar os olhos, dormir. Mas estou em algum tipo de movimento constante.

— Trauma grave na cabeça.

— Fratura craniana com depressão.

Os azulejos brancos do teto embaçam. Máquinas apitam. Mãos enluvadas me tocam.

— Kyle? *Kyle.* Olhe pra mim.

Tento focar na voz e vejo que ela vem de uma mulher. Seu cabelo ruivo está preso em um rabo de cavalo feito às pressas e algumas mechas caem em volta de um par de olhos azuis intensos que rapidamente entram no foco.

— Bom. Isso é bom. Eu sou a dra. Benefield. Sou neurocirurgiã — a boca dela diz e eu me centro no movimento dos seus lábios para tentar entender o que ela está dizendo.

— Eu vou cuidar de você, o.k.?

Ela tem uma auréola de luz em volta da cabeça, acendendo o vermelho do seu cabelo. Eu a encaro e outra voz chama minha atenção.

— Fêmur fraturado e lacerações interescapulares...

— Esse cara fala demais, não é? — Ela diz, me dando uma piscadela rápida e confiante.

Seus olhos azuis estudam minha testa enquanto ela me pergunta de que tipo de música eu gosto. Uma exaustão irresistível toma conta de mim enquanto eu falo sobre como Childish Gambino é um gênio, as palavras se tornando cada vez mais difíceis de pronunciar.

Eu forço todo o resto a se aquietar, exceto a médica. Algo na calma dela me reconforta nesse caos. A voz que grita, os alarmes, o som das minhas roupas sendo rasgadas do meu corpo, tudo some. Não há nada além do anel de luz em volta do cabelo dela. Do sorriso em seu rosto.

Eu começo a sorrir também, mas então eu noto...

Ah, meu Deus.

Nos óculos dela, eu vejo meu reflexo.

Meu nariz está salpicado de sangue. Um pedaço da minha testa está aberto como um envelope, expondo o osso branco por baixo. Osso branco *rachado*. Meu crânio. Quebrado.

Eu começo a entrar em pânico, os sons todos voltando enquanto uma onda de medo cai sobre mim.

— Isso é...? Isso é o meu...?

— Você está bem — ela diz com um sorriso. Eu não consigo imaginar como um osso saindo para fora do meu rosto possa ser bom, mas a expressão dela continua tão calma quanto antes. *Por que* ela não está pirando com isso? Ela toca meu rosto e eu levo um minuto até perceber que ela está tocando minha testa, meu maxilar, as maçãs do meu rosto.

— Eu não... Eu não sinto nada. Eu deveria estar sentindo alguma coisa?

Acho que vejo o sorriso dela falhar por uma fração de segundo, mas então eu tenho certeza de que só imaginei, porque ela continua sorrindo, suas mãos se movendo constantemente.

Ainda estou tentando não pirar quando as portas duplas da sala de emergência se abrem com tudo atrás da dra. Benefield e outra maca é trazida para dentro.

Eu começo a fechar os olhos, o último vestígio de energia que eu tinha saindo de mim, mas então eu vejo. Uma massa de cabelos loiros cobertos por uma camada de sangue.

Não.

Não, não, não. Tudo volta. A tempestade. Nossa briga. O cinto de segurança travando sobre o meu peito.

— Kimberly — eu tento gritar, mas minha voz sai fraca, minhas pálpebras estão pesadas. Tudo está tão pesado.

— Fique comigo, Kyle — a voz da médica diz. — Sala de operação três. Agora — ela grita para as outras vozes na sala.

Eu luto para manter meus olhos abertos, luto para mantê-los em Kimberly, mas de repente eu estou me movendo, as luzes florescentes me cegando enquanto piscam no alto, uma depois da outra, cada vez mais rápido. Pisca pisca pisca piscapiscapisca...

Não! Eu quero gritar. *Voltem!* Mas eu não tenho forças para formar as palavras, e tudo à minha volta continua se movendo.

Eu vejo um médico carregando uma criança.

Pisca.

Uma mulher mais velha recebendo oxigênio.

Pisca.

Uma garota lendo um livro. Ela ergue os olhos assim que viramos o corredor.

Pisca.

E então vejo a dra. Benefield, seu jaleco branco esvoaçando na minha frente, embaçando e se expandindo em um brilho que consome todo o corredor, até que já não existe nada além da luz branca que me cega.

3

— Kyle.

Imagens flutuam diante de mim.

Um globo espelhado quebrado.

Uma muralha de chuva.

O cabelo loiro de Kim, embaraçado e ensanguentado.

Então a dor. Ela se irradia pela minha cabeça, por todo meu corpo. Eu agarro os lençóis até que ela recue o suficiente para que eu reconheça a voz chamando o meu nome, mais clara agora.

— Kyle?

Mãe.

Eu tento abrir os olhos, focar o rosto dela diante de mim. Eu vejo o nariz dela, a boca dela, mas sua imagem é clara demais. Embaçada. Distorcida. Como uma fotografia superexposta.

— Mãe — digo, rouco, minha garganta áspera como lixa.

Ela pega minha mão e aperta.

Estou cansado. Tão cansado.

A médica entra no meu campo de visão. Ela coloca uma luz brilhante nos meus olhos e me pergunta o que eu consigo sentir ou não, então pede que eu siga seu dedo com o olhar. *Eu não consigo... Eu não sinto isso. Eu deveria sentir isso?* E é aí que o pânico volta. O cabelo embaraçado e ensanguentado. A maca. Kimberly.

— O que aconteceu... Kim... Ela está...?

Ela não diz nada, só se concentra em algo na sua mão. Uma prancheta. Uma caneta clicando. Uma nota em sua tabela.

— Kyle, você se lembra de mim? Sou a dra. Benefield. Você sofreu uma lesão grave... — A voz dela é cortada por uma buzina. O barulho é tão alto que eu aperto os olhos, desesperado para fazê-lo parar.

Quando tento abri-los novamente, não há nada além de dor. Uma dor lancinante tentando me engolir por inteiro. E eu permito.

Quando eu acordo de novo, não faço ideia de quanto tempo se passou, mas tudo está mais claro. Os azulejos brancos do teto, as paredes azuis do hospital, uma TV no canto, sua tela plana apagada.

Sinto uma dor na cabeça e me lembro das palavras da dra. Benefield. Então ergo a mão e sinto um curativo na minha testa, e o movimento me faz sentir o puxão inesperado do acesso no meu braço. Meus olhos deslizam para o conjunto de máquinas ao meu lado e, então, para a figura sentada ao pé da cama.

— Sam — eu consigo dizer, e a cabeça dele vira na minha direção. Os olhos dele estão vermelhos e seu rosto molhado.

Imediatamente, uma angústia me percorre inteiro.

Durante minha vida toda só vi o Sam chorar duas vezes. Uma vez quando tínhamos dez anos e ele quebrou o braço ao cair da bicicleta e, depois, quando o golden retriever da família dele, Otto, morreu três verões atrás. Mas esta vez não parece com as outras.

Parece pior.

— Sam?

Eu não consigo perguntar e ele não responde. Ele só volta seus olhos vermelhos para a janela e eu vejo que as lágrimas estão caindo mais rápido agora.

— Sam — eu digo de novo, tentando desesperadamente erguer um corpo fraco demais para me obedecer até que meus braços cedem e eu caio de volta na cama. — Sam?

Mas ele ainda não responde.

O rosto sorridente de Kim dança na frente dos meus olhos e eu me esforço para respirar, horror e culpa se enrolando com força em volta dos meus pulmões enquanto um raio de dor estala na minha cabeça.

Ela não pode estar...

Revejo tudo. Começando por Berkeley, a briga, e terminando com os olhos dela arregalados e em pânico sob o brilho dos faróis.

E quando o caminhão bate, eu sinto meu mundo inteiro se partir, a dor na minha cabeça crescendo cada vez mais, até que meu corpo inteiro explode em um milhão de pedaços, pedaços que nunca vão se juntar de novo.

4

Eu apoio minha cabeça enfaixada no vidro frio da janela do carro e observo as gotas de chuva refletirem o vermelho da luz de freio a nossa frente enquanto minha mãe dirige. Já faz duas semanas inteiras e eu ainda não consigo acreditar. Eu achava que terminar o namoro seria o pior jeito de perdê-la e a pior dor que eu poderia sentir, mas isso... Eu não posso consertar isso. Eu não posso comprar uma pulseira de berloques e consertar as coisas.

Ela realmente se foi. Enterrada no cemitério local há cinco dias em uma cerimônia que eu estava arrasado demais para conseguir assistir.

Ao chegarmos em casa, eu fico parado na chuva, com a caixa de papelão do hospital apertada contra o peito. Dentro dela estão meus sapatos sociais, os farrapos que restaram do meu paletó e a pulseira de berloques que deve estar escondida em algum lugar dessa bagunça, seus elos vazios que nunca mais serão preenchidos.

A chuva para abruptamente. Eu ergo os olhos e vejo um guarda-chuva preto acima de mim. Minha mãe estica o braço para tocar o curativo ensopado na minha cabeça, mas eu afasto suavemente a mão dela. Eu não quero ser reconfortado ou cuidado. Não vai funcionar, de qualquer forma.

— Eu só preciso que você fique bem — ela sussurra para mim, sua boca mal se movendo.

Ficar bem.

Como se algum dia eu fosse encontrar um caminho para voltar a ficar bem. Ela me olha preocupada, mergulhando seus olhos nos meus enquanto pega a caixa das minhas mãos e a enfia embaixo do braço.

Preciso ficar sozinho.

Eu me firmo nas muletas antes de cambalear na direção da casa e subir na varanda, minha cabeça confusa enquanto tento não colocar peso no meu fêmur despedaçado, agora sustentado por fios de metal. Ela me ajuda a entrar pela porta da frente e eu faço a caminhada mais lenta do mundo até o porão, querendo uma dose daquilo que eles me davam no hospital e que me deixava cair no nada. Minhas muletas ecoam alto no chão enquanto ando, alto e constante, como a batida de um coração.

— Eu pensei que você podia ficar aqui na sala — minha mãe grita atrás de mim. — Eu arrumei o sofá. Você não precisaria se preocupar com subir e descer as...

— Eu quero meu próprio espaço — digo com firmeza.

Então abro a porta do porão, o espaço que tem sido meu desde o segundo ano e, fazendo barulho, luto com determinação para chegar ao fim da escada.

Eu a ouço vindo atrás de mim e sua mão se enrola com firmeza em volta do meu braço assim que meu pé chega no último degrau.

— Espera, querido... — ela começa a dizer, mas é tarde demais.

Acendo a luz e instantaneamente vejo apenas pequenos buracos onde *ela* costumava estar. Livros faltando na estante, o cobertor favorito dela que não está mais no sofá, até mesmo fotos sumiram das paredes.

— Onde... — eu começo a dizer enquanto empurro a porta do meu quarto e entro. Minha mão toca o prego onde a foto de formatura de Kim costumava ficar pendurada.

— Os pais dela vieram buscar as coisas que ela deixou aqui. Eu não esperava que eles...

— Eles levaram tudo — digo, sentindo vontade de vomitar. Eu perdi o funeral e agora isso?

Eu viro a cabeça, em busca de qualquer coisa que eles possam ter deixado passar. Mas até o carregador cor-de-rosa que ela deixava aqui se foi. Arrancado da parede como a tomada de um respirador.

A raiva cresce dentro de mim, inflando cada vez mais até murchar de repente. Não foram eles que levaram tudo.

Fui eu. Da Kim.

Fui eu quem nos levou de carro até lá. Fui eu quem a fez sentir que precisava esconder o que realmente queria e agora nunca vai ter.

— Sinto muito, querido — minha mãe diz, tentando me tocar.

— Eu posso ficar sozinho, mãe? — Eu consigo dizer, rouco, enquanto me afasto dela.

Ela abre a boca para dizer alguma coisa, mas então hesita e finalmente sai. Seus passos somem conforme ela sobe as escadas e a porta lá em cima faz um clique.

Eu me esforço para atravessar o quarto e chegar numa prateleira no canto onde estão troféus dourados e medalhas reluzentes ao lado de uma foto emoldurada, uma das únicas que eles não levaram embora. Nós dois no jogo do meio da temporada, os braços dela elevando os pompons no ar, meu número pintado em sua bochecha, meus braços em volta da sua cintura.

Vinte minutos depois minha carreira no futebol terminaria. Duas semanas depois eu seria oficialmente só Kyle Lafferty, o cara escrevendo para o jornal da escola sobre o jogador que o estava substituindo.

Por meses, tudo que eu quis foi voltar para esse momento. Para o antes. Agora, porém, eu passaria pela lesão mais cem vezes se eu só pudesse ter a Kim de volta.

BIP, BIP, BIP.

Eu dou um salto, e uma das minhas muletas cai no chão. Franzindo a testa, eu me viro na direção do barulho e vejo que meu despertador está tocando alto na mesinha de cabeceira.

Mancando pelo quarto, vejo os números vermelhos piscando sem parar, raivosos e no ritmo do barulho.

Minha mão congela sobre o botão e uma lembrança toma conta de mim. Minha mãe viajando, Kim acordando ao meu lado, seu rosto amassado e sonolento.

— Quem ainda usa um despertador desse tipo? — Ela tinha resmungado, puxando os lençóis acima de seus cabelos loiros e se aconchegando mais perto de mim enquanto eu o desligava, a corrida matinal que eu deveria fazer com Sam esquecida no momento em que ela se aninhou nos meus braços.

Mas eu acidentalmente apertei o botão errado e quinze minutos depois o alarme estava disparando de novo, alto e insuportável. Kimberly acordou de um salto, completamente ereta, e atirou a coisa do outro lado do quarto. Eu me lembro do quanto rimos, a luz do sol entrando lentamente pela minha janela, jogando um brilho quente no rosto dela.

Nunca tinha visto algo tão bonito. Eu quase consigo vê-la...

BIP, BIP, BIIIIIP...

Eu me inclino para baixo e arranco o fio da tomada. O alarme para abruptamente e o rosto de Kimberly some como um sonho ao acordar. Meu peito aperta e me esforço para tirar o suéter, meus braços se enrolando enquanto brigo com ele. Eu puxo até o tecido finalmente ceder e um suspiro escapa dos meus lábios quando eu o arranco e jogo no encosto da cadeira da escrivaninha.

Eu olho em volta do quarto, para todos os cantos que Kim costumava preencher, e percebo que eu não me preparei para essa parte. Eu estava tão focado em voltar para casa. No fato de que eu estava perdendo o funeral dela. Em ser forte suficiente para sair do hospital no qual minha namorada morreu.

Eu nunca pensei no depois.

Uma semana mais tarde eu abro a porta da frente e a luz da manhã está batendo forte demais nos degraus de madeira da varanda. Nada mudou de verdade desde que voltei para casa. A entrada ainda é ladeada pelas flores de cheiro doce que minha mãe plantou, a entrada da garagem ainda está toda rachada, a cerca de madeira branca ainda precisa desesperadamente de uma pintura.

Tudo está igual. Mas *eu* estou diferente.

Eu ajusto as muletas sob meus braços e avanço, cambaleando rua abaixo para completar a volta diária que a médica me mandou dar no quarteirão. Ela disse que poderia ajudar a clarear a mente, me devolver para o mundo. Ajudar meu cérebro a se recuperar. Infelizmente, esse mundo já não tem um lugar para mim.

Antes que eu perceba, já estou no segundo quarteirão. E então no terceiro.

Depois de algum tempo, chego ao centro da cidade, as ruas ao redor estranhamente vazias para um dia quente de verão. Estou exausto. Enfio a mão no bolso, então percebo que deixei meu celular em casa, mas talvez seja melhor assim. Ele só tem ligações não atendidas do Sam. Recados implorando para que eu fale com ele, diga alguma coisa, avise que estou bem.

Mas eu não estou bem. Então o que eu poderia dizer?

Observo as vitrines das lojas ao longo da rua principal. Camisetas listradas, livros bem arrumados e buquês de flores. Toda vez que estico o pescoço para olhar dentro de uma das lojas, eu me pego procurando. Procurando por algo. Mas é algo que eu sei que nunca vou encontrar em uma estante empoeirada ou escondido em um canto. Eu nem tenho ideia do que me fez andar até aqui.

Eu limpo uma gota de suor da minha testa e me pego em frente à sorveteria do Ed, a antiga placa vermelha e branca balançando em seus ganchos enferrujados com a brisa suave do verão. Cansado, eu desabo em uma das cadeiras pretas de metal no lado de fora, meu corpo exausto dessa pequena caminhada, uma das muletas machucando minha axila.

Encaro com desejo a porta da frente, o salão fresco com ar-condicionado do outro lado do vidro parecendo tão perto, mas nesse momento ainda longe demais para meu corpo quebrado. Acho que não conseguiria dar mais um passo nem se quisesse.

Manchete: ESTRELA DERROTADA DO FUTEBOL ESTUDANTIL MAL CONSEGUE ANDAR 1,5KM.

A pele embaixo do meu braço queima, uma bolha doloro-sa começando a se formar, quente e irritada.

Ótimo. Como se uma lesão na cabeça e uma perna ferra-da não fossem suficientes.

Depois de alguns minutos derretendo na cadeira preta de metal eu me levanto e entro. O sino na porta toca alto acima de mim e sou atingido por uma rajada de ar-condicionado, o que faz valer o esforço extra.

Peço duas bolas de sorvete de chocolate na casquinha e me sento automaticamente na mesa perto da janela. O sorve-te derrete na minha boca enquanto eu encaro a cadeira vazia na minha frente. Sam, Kim e eu costumávamos estar sempre juntos, mas tomar sorvete no Ed era algo só de nós dois. Em dias quentes de outono, depois do treino, ou em um dia alea-tório em que as aulas terminassem mais cedo, eu arranjava alguma desculpa para ir até o centro e a surpreendia com um copinho de sorvete de chocolate com menta. Ela sempre ti-rava uma foto antes da primeira colherada, para o Instagram.

Percebo agora que parece fazer muito tempo desde a últi-ma vez que estivemos aqui. Eu me pergunto o que eu veria se abrisse o Insta dela. Quando foi o último sorvete de menta?

Eu não consigo me lembrar de ter vindo aqui depois da lesão do ombro. Nenhuma vez. E não tenho um bom motivo para isso.

Encaro a cadeira vazia na minha frente e sinto uma pon-tada de culpa, as palavras que ela disse naquela noite me causando arrepios.

Desvio os olhos e minha respiração falha quando vejo a menina trabalhando no balcão. Ela está inclinada sobre o freezer gigante para servir uma bola de sorvete de nozes a um cliente, seu cabelo loiro preso em um coque bagunçado.

Uma sensação de dor envolve minha cabeça, como a pontada de se tomar algo gelado muito rápido.

Kimberly.

Prendo a respiração, esperando ver aquelas maçãs do rosto altas, aquele sorriso elétrico que faz tudo no mundo parecer certo, seus olhos azuis se revirando quando ela pergunta para que raios estou olhando.

Ela ergue a cabeça para sorrir para o cliente e... não é ela. Claro que não é ela.

Eu me levanto rapidamente da cadeira, enfiando as muletas sob meus braços. Os olhos castanhos da menina me observam por trás de um par de óculos de aro fino enquanto eu vou para a porta o mais rápido que posso.

— Tenha um bom dia! — Ela grita atrás de mim, alegre e simpática. Eu consigo dar um sorriso de leve, mas os cantos da minha boca não aguentam o esforço. Até mesmo a menor das interações humanas me parece mais difícil do que correr nos treinos. A realidade da morte de Kim é uma série de decepções cotidianas. Momentos e lembranças que estão me consumindo lentamente, até que não sobre mais nada.

Eu preciso de uma distração.

Saio da sorveteria e sigo inquieto pela rua.

Não posso ir para casa agora. Para o meu quarto com o canto vazio onde as fotos dela costumavam ficar. Para o meu sofá onde ficávamos acordados até tarde nas noites de sexta, vendo filmes de terror até o sol nascer. Para o armário, onde ainda estão dois pacotes fechados da batata Lays sabor churrasco que ela adorava.

As portas douradas do cinema antigo na esquina se abrem e um homem mais velho entra. As grossas letras pretas da fachada à moda antiga me chamam.

Sigo até a bilheteria e compro um ingresso para a próxima sessão, sem nem perguntar que filme é. Não importa.

Há mais ou menos uma dúzia de pessoas no cinema, espalhadas, tentando escapar do calor da tarde de verão, mas eu não reconheço ninguém. Noto um casal jovem dando risadinhas bem no fundo, com as mãos entrelaçadas, e faço questão de me sentar o mais longe possível deles.

Um minuto depois as luzes diminuem e eu encaro a tela, assistindo os personagens entrarem e saírem de cena enquanto minha mente faz o exato oposto. Ela se foca com teimosia na dor latejante na minha perna, na pele ferida sob o meu braço, no fato de Kimberly não estar sentada ao meu lado tentando adivinhar o que vai acontecer no filme e estragando a surpresa.

Uma risada gutural do cara no meio da minha fila me distrai da tentativa de esticar minha perna e eu percebo a tremenda perda de tempo que isso é.

A tremenda perda de tempo que é *tudo*.

Agarrando minhas muletas, ergo meu peso para fora da cadeira vermelha grudenta e, quando saio, jogo o pacote de pipoca quase cheio no lixo.

Chego em casa com o corpo todo ardendo e minha camiseta completamente ensopada de suor.

Eu paro na varanda e pouso minha mão na maçaneta, ofegante, me recompondo antes de entrar.

Da entrada, eu dou uma olhada na sala de estar e vejo minha mãe se levantar do sofá, a preocupação repuxando sua boca e a ruga na sua testa.

— Eu estava tão preocupada com você...

— Eu estou bem — eu a corto, querendo que minha voz pareça firme, mas ela sai toda errada, áspera e resmungona.

O chão de madeira estala quando ela se aproxima de mim e ergue meu celular. A tela se acende e mostra uma série de chamadas perdidas e mensagens.

— Você saiu sem o celular. Eu não tinha como ligar e saber se algo tinha acontecido com você.

Eu o arranco da mão dela e tento passar para a porta que leva ao porão, mas quando dou um passo para o lado, fico cara a cara com uma foto na parede. Somos nós dois, no verão depois que meu pai morreu, os braços dela em volta de mim e eu dando um sorriso banguela para a câmera. Só que eu consigo ver algo por trás do sorriso dela. Algo que agora eu reconheço. A perda.

Dou um passo para trás e a abraço, sentindo aquele perfume familiar que ela sempre usa.

Quando ela passa os braços em volta de mim, os mesmos braços que me apertaram naquele verão, eu pisco com força para manter o controle.

Eu me afasto e corro para o meu quarto, minha respiração saindo em soluços irregulares, imagens da sorveteria, do cinema e do momento antes da batida se confundindo enquanto o cômodo se inclina e eu me enfio na cama e puxo as cobertas acima da cabeça.

Tudo está igual, exceto a única coisa que importa.

O mundo pode continuar, se quiser.

Eu não quero.

5

— Kyle, acorda.

É a voz de Kimberly. Uma dor aguda corta minha testa, e meus braços, minhas costas e pernas estão suadas. Eu estendo a mão para alcançar o abajur e acendo a luz. Eu olho ao redor do quarto e vejo uma sombra desaparecendo escada acima.

Freneticamente, eu afasto as cobertas e subo mancando a escada o mais rápido que posso para abrir a porta.

— Kimberly! — Eu chamo por ela. — Kim.

Eu olho em volta, mas só o silêncio me responde, a escuridão ecoando alto nos meus ouvidos.

Eu a *ouvi*. Senti o peso da mão dela no meu ombro. Ela estava aqui. Eu tenho certeza.

Assim como eu tenho certeza de que isso não faz o menor sentido.

Cambaleio pelo corredor, agarrando a parede para me apoiar enquanto tropeço para dentro da sala e ligo a luz que revela…

Nada.

O sofá está vazio. Não há ninguém aqui.

Como um idiota, eu testo a porta da frente, girando a maçaneta para a direita e a esquerda, mas a fechadura está firme em seu lugar. Só então é que eu me lembro que Kim nunca teve a chave da minha casa.

Eu solto uma respiração trêmula e apoio minha cabeça contra a madeira gasta, minhas têmporas latejando por conta da saída repentina da cama, a adrenalina se esvaziando em forma de derrota. Eu forço minha respiração para desacelerar, mas quando eu me viro para voltar para a cama, a respiração que eu me esforcei para recuperar corre de mim com um sopro alto.

Kimberly.

Ela está sentada no sofá, com um cobertor branco felpudo em volta dos ombros. Ela aperta um pouco mais a coberta, sua estampa de borboletas azuis se movendo como se os pequenos insetos estivessem vivos. Kimberly. Bem ali na minha frente.

Não pode ser verdade. Eu sei que não é. Eu sei que isso só pode significar que minha cabeça está ainda mais zoada do que os médicos pensaram.

Mas eu preciso que seja verdade.

Eu corro na direção dela com tanta rapidez que tropeço no tapete da entrada. Eu estendo o braço para me segurar na parede antes de cair.

Quando me endireito, ela já se foi, e tudo o que resta no sofá são as almofadas e um grande vazio.

Eu me dirijo para a cadeira, sem tirar os olhos do sofá. Então sento e encaro o ponto vazio pelo resto da noite, esperando que ela volte, meus dedos enrolados no braço da poltrona. Cada vez que eu começo a cochilar, o fato de que eu realmente a *vi* me acorda de um salto, como se eu tivesse tomado uma lata cheia de Red Bull.

Eu nem noto que o sol nasceu até ouvir os passos da minha mãe descendo a escada.

— Bom dia, então — ela diz.

Eu pisco e ergo os olhos para um par de calças pretas e uma camisa social, o cabelo dela bem penteado. Eu me forço a levantar, minha perna ruim doendo por ter passado a noite sentado na cadeira, tenso e sem me mover.

Ela se inclina sobre o corrimão e ergue as sobrancelhas.

— Quer explicar?

— Eu, hum — começo a falar, enrolando para ter tempo de pensar numa desculpa. — Eu não consegui dormir.

Eu sei que ela não acredita, mas passo por ela cambaleando em direção à porta do porão e me enfio lá dentro antes que ela se intrometa mais.

Apoiado na porta fechada, eu solto um longo suspiro. Pela primeira vez desde a morte a Kim, eu tenho algo no que focar.

Eu preciso vê-la mais uma vez.

Pelas três noites seguintes, depois que minha mãe sobe as escadas para dormir, faço minha vigília na poltrona da sala de estar, alerta a cada faísca de luz ou estalo na casa. Mas nada de Kim. Nada de cobertor branco felpudo ou borboletas azuis.

Estou quase tendo que segurar minhas pálpebras abertas quando o despertador da minha mãe toca de manhã, e tenho que deslizar de volta para o andar de baixo antes de ser atingido por uma edição matinal de "O Jogo das Vinte Perguntas".

Na quarta noite minha cabeça está me matando e fica cada vez mais difícil me manter acordado. Eu aperto os olhos, fixando as almofadas vazias no sofá, tentando lutar contra a exaustão. Kim sempre gostou de me deixar esperando. É a única coisa na qual me agarro. A única coisa que me faz continuar.

O relógio na entrada mal passou da meia-noite, então eu apoio minha perna ruim na mesinha de centro em uma tentativa de ficar um pouco mais confortável.

Eu pego no sono pelo que parece ser uma fração de segundo e, quando abro os olhos, o lugar vazio está ocupado.

Pela minha mãe.

— *Agora* você quer se explicar? — Ela pergunta enquanto cruza os braços por sobre sua camisa de pijama azul-marinho.

Eu sei que não é certo, mas a pergunta dela me irrita.

Eu quero *explicar* que acho que ando vendo o fantasma da minha namorada morta? Na verdade, não. Eu me sinto meio ridículo só de pensar em falar isso em voz alta.

Engulo com força essa pontada de insanidade e sacudo a cabeça. Antes que ela possa se intrometer mais, eu me levanto e vou mancando pelo corredor na direção do porão.

— Kyle. — Os passos dela ressoam suavemente atrás de mim, mas fecho a porta assim que ela a alcança. Não estou a fim de ser interrogado a respeito de algo que eu nem consigo explicar para mim mesmo. Eu só sei o que vi. Pelo menos acho que sei.

Eu deslizo e sento no primeiro degrau da escada enquanto espero que ela vá embora. Apoio a cabeça contra a madeira e meus olhos lentamente começam a fechar, mas um sussurro me traz de volta à consciência, a voz dela vindo do outro lado da porta.

Mãe.

— Eu perdi seu pai assim — ela fala baixinho enquanto eu escuto. — Tive que vê-lo definhar.

Eu me levanto devagar, espalmo a mão na porta enquanto ela continua a falar. A luz suave do corredor passa por baixo da porta.

— Ah, Kyle. — A voz dela é tão triste.

Suspirando, eu giro a maçaneta. Ela está sentada no chão, com as costas apoiadas na parede e os olhos fechados. Ela *parece* tão triste. Eu imediatamente me sinto terrível.

— Seus velhos ossos estão o.k.? — Eu pergunto com um pequeno sorriso. — Sentada no chão assim?

Ela ergue o rosto e revira os olhos, claramente sem achar minha piada divertida.

— Haha.

Eu estendo a mão e a puxo para cima, suas mãos se enrolando com cuidado no meu antebraço.

— O.k., você venceu. Eu vou para a cama... — Eu digo, empurrando-a na direção das escadas. — Se você for também.

— Eu te amo. Você vai ficar bem — ela diz enquanto estuda meu rosto, decidindo, até finalmente apertar meu braço e sair na direção das escadas.

Eu fecho a porta atrás de mim e fico sentado em silêncio no topo dos degraus do porão, prendendo a respiração, esperando por cerca de uma hora, até ter certeza de que ela não vai mais estar na espreita para ouvir o ranger da porta abrindo ou o barulho dos meus passos no chão de madeira. Eu checo meu celular e a tela se acende, mostrando que são 3h30 da manhã. Ainda faltam algumas horas para o sol nascer.

Eu me arrasto em silêncio para a sala, pronto para tomar meu lugar na poltrona, mas uma forma no sofá me faz congelar.

É minha mãe, enrolada, dormindo profundamente. Seu ronco leve é o único som do cômodo. Eu pego a colcha do encosto do sofá e a cubro, algo nessa imagem tornando tudo pior.

Você vai ficar bem.

Pensar nessas palavras faz meu coração acelerar. Derrotado, me viro para descer para o meu quarto e toco o curativo na minha testa, preocupado que o que está ali debaixo esteja muito mais quebrado do que os médicos pensaram. Preocupado que eu *não* fique bem.

Preocupado que eu poderia ter passado cem noites acordado e aquele lugar do sofá teria estado vazio em todas elas.

Porque ela nunca esteve ali, para começo de conversa.

6

Os dias começam a se misturar. Mensagens são deixadas sem ler; há embalagens de comida espalhadas pelo chão. Uma semana se transforma em duas, depois em um mês, e rapidamente o verão passa, o sol lentamente começando a se pôr mais cedo do lado de fora da pequena janela do porão.

Não saio da cama de manhã. Não faço nada.

Eu só fico ali, recusando todas as tentativas da minha mãe de me tirar do meu quarto. Eu não estou interessado em me torturar. Eu sei o que me espera lá fora.

No porão, do outro lado da porta do meu quarto, está a porta-balcão que leva para o quintal, a mesma que Kimberly costumava usar para entrar escondida depois que minha mãe adormecia. Eu poderia subir, mas aí eu veria o gramado da frente no qual ela costumava pedalar no ensino fundamental, ou a cozinha na qual fizemos um bolo de chocolate monstruoso e incrivelmente delicioso para o aniversário do Sam.

Mas, no geral, o que eu não quero é dar ao meu cérebro algo para distorcer e me enganar. Eu não quero achar que a vi.

As batidas da minha mãe na porta estão cada vez mais frequentes, assim como o estalo dos seus pés andando de um lado para o outro em frente à porta enquanto ela implora:

— Você está aí. Eu sei que está. — Ela mexe na maçaneta. Uma vez. Duas. Mas agora eu me tranquei.

Eu consigo senti-la do outro lado, desejando que eu a deixe entrar. Em vez disso, deixo que a luz do dia se transforme em noite mais uma vez. Eu luto o máximo possível para manter meus olhos abertos porque, quando durmo, meus sonhos são preenchidos com imagens de globos espelhados, lâmpadas fluorescentes de hospital, faróis de um caminhão chegando cada vez mais perto.

Pelo menos quando estou acordado eu posso me deter ao nada.

Eu não tenho certeza de quanto tempo passa, mas seja lá quanto for, não importa.

— Levanta. Agora.

Eu luto para abrir meus olhos e os aperto quando vejo minha mãe de pé, ao meu lado, me sacudindo. Eu olho para trás dela e vejo a porta do meu quarto apoiada contra a parede, completamente solta das dobradiças, e o buraco que agora leva para o resto do porão. Como eu não ouvi isso acontecendo?

— Levante dessa cama e se recomponha — ela diz, arrancando os cobertores de mim. — Nós precisamos conversar.

Eu suspiro e agarro os cobertores de volta, puxando-os para me enterrar embaixo deles.

— Conversar sobre o quê? — Eu resmungo enquanto ela se senta na beira da cama, suas sobrancelhas formando um V.

Ah, não.

Mãe no modo séria.

Eu a espio por cima das cobertas, preocupado com o que ela vai dizer.

— Kyle, já é quase setembro. Seus amigos estão todos começando a ir para a faculdade. Sam se matriculou na faculdade local — ela diz, respirando fundo. — Então, e a UCLA?

Eu me sento e afasto os cabelos dos olhos, as pontas dos meus dedos tocando a cicatriz saltada na minha testa. Ela não pode achar que eu ainda vou.

— O que tem?

— Eu *sei* que a UCLA deveria ser pra você e para a Kimberly. Eu sei o quanto esse plano era importante pra você — ela diz, pegando minha mão. — Mas você precisa aceitar que o futuro exatamente como tinha planejado não é mais *possível*.

Meus olhos encontram a flâmula da UCLA que Kimberly me deu pendurada na parede, o azul e amarelo me atormentando. O futuro que eu tinha planejado não seria possível de qualquer forma. Kimberly estaria fazendo as malas para começar sua nova aventura em Berkeley.

Sem mim.

Eu sinto uma minúscula fagulha de raiva e em seguida a onda familiar de culpa. Kim daria tudo para poder ir a qualquer lugar. Só para *estar* aqui.

— Mas isso não quer dizer que você não tenha um futuro — ela continua. — Você deveria ir pra lá em uma semana e meia e talvez isso seja...

— Eu vou adiar — digo, tomando uma decisão. A única decisão que vai tirar minha mãe do meu pé por alguns meses. — Pelos primeiros dois trimestres. É cedo demais.

Ela ainda não precisa saber que eu nunca vou pisar naquele campus.

Ela pisca. Isso não era o que ela esperava. Eu sei pela postura dos ombros dela que ela estava pronta para brigar, mas minha decisão tem uma lógica que ela não pode ignorar, que é com o que eu contava. Então ela aceita, satisfeita, acho, por eu ter tomado alguma decisão na minha vida.

— Certo. Mas se você vai fazer isso, você precisa de um novo plano. Se você adiar a UCLA, você não pode só fazer...

— A voz dela silencia e ela aponta para a pilha de roupas sujas. As louças usadas. A lixeira transbordando. — Isso. Você precisa fazer *alguma coisa*.

Eu olho em volta do quarto. Está na cara que não saí dele o verão inteiro, mas eu não consigo reunir energia para me importar.

— Você ainda está vivo — ela diz, apertando minha mão.

— E você não pode parar tudo porque ela não está. Você precisa continuar vivendo.

Eu solto um longo suspiro, passando os dedos pelo cabelo embaraçado. Só ter essa conversa já é exaustivo. Eu nem tenho ideia do que é viver agora.

— Eu nem sei por onde começar — digo com sinceridade. Talvez se ela só me disser o que quer já seja o suficiente.

— O Sam quer te ver — ela diz, erguendo meu celular. Eu nem tenho ideia de como ela o pegou. — Faz meses que você não fala com ele e eu sei que ele também está sofrendo. Pode começar com isso.

Ela joga o celular na minha direção e ele me acerta bem no peito, minhas mãos desencontrando quando tentam pegá-lo. Meus reflexos estão enferrujados. A tela se acende e revela dezenas de ligações perdidas e mensagens, a maior parte de Sam, algumas dos caras com quem eu joguei futebol ao longo dos anos, embora essas sejam bem mais antigas.

Sam é o único que ainda está tentando.

Eu navego lentamente pelas mensagens dele, vendo-as ir de "Ei cara, como você está?" para "Cara, já faz quase dois meses que eu não recebo notícias. Me liga. Estou preocupado".

Eu não sei como olhar na cara dele depois de tudo o que aconteceu. Como ele pode *querer* me ver? Passar tempo com ele seria só mais um doloroso lembrete de que nosso trio não é mais um trio.

— Você não pode ignorá-lo pra sempre — minha mãe diz, lendo meus pensamentos.

Ela dá dois tapinhas na minha perna e se levanta.

— Agora, liga pra ele e sai dessa cama. E vá ao mercado. Eu não vou mais fazer compras ou cozinhar pra você — ela diz, indo na direção da porta. — Talvez, se você ficar realmente com fome você saia daí e se junte aos vivos — ela acrescenta.

Em resposta, minha barriga ronca alto.

Traidora.

Estou pingando de suor. Meus jeans grudam nas minhas pernas, minha pele já estava acostumada ao conforto do moletom. Eu levei quase uma hora para chegar aqui, mancando pelo caminho sinuoso que passa pela minha escola e pela biblioteca, minha perna sofrendo a falta das sessões de fisioterapia que eu tenho evitado.

Minha mãe sutilmente deixou as chaves do carro no balcão, mas de jeito nenhum eu vou sentar atrás de um volante de novo.

Eu tento evitar olhar todas as lojas que me lembram Kim. O restaurante de comida chinesa onde sempre comprávamos comida nos fins de semana – Sam devorava todo o *lo mein*. A cafeteria onde Kim comprava seu café com leite de aveia que custava sete dólares, insistindo que era "melhor que leite de verdade". O salão de beleza da esquina onde ela fazia luzes enquanto eu e Sam assistíamos futebol nos nossos celulares na sala de espera.

Então mantenho os olhos nos meus pés até chegar às portas automáticas da mercearia, que se abrem com uma rajada de ar fresco. Eu pego um carrinho para tirar um pouco da pressão da minha perna e vagueio pelos corredores para comprar o essencial, beliscando os Cebolitos do enorme pacote que peguei na entrada.

Leite, ovos, pão. Eu acrescento alguns pacotes de *pizza rolls* congelados, minhas minipizzas preferidas, porque minha mãe não especificou o que contava exatamente como uma refeição e eu tenho um micro-ondas no porão por um motivo.

E esse motivo são os *pizza rolls*.

O sol está começando a se pôr quando faço o caminho de volta para casa com minhas duas sacolas, o céu ficando laranja e rosa, lentamente dando lugar a um azul profundo. Devo ter ficado lá dentro bem mais tempo do que pensei.

O som de trovões enche meus ouvidos, alto, constante e retumbante. Eu hesito por um segundo, repentinamente voltando à tempestade daquela noite, mas então eu olho para o lado e vejo o estádio de futebol do Colégio Ambrose iluminado, o estacionamento cheio de carros.

Tambores. Não trovões.

Gritos ecoam das arquibancadas, quase se sobrepondo ao rufar constante da banda. É sexta à noite, um dos primeiros jogos de futebol do ano está acontecendo. Eu me pego enfiando as sacolas embaixo do braço e desviando do caminho, as luzes e os gritos me atraindo para a multidão e para um dos bancos de metal gelado.

Eu respiro fundo. Tudo parecendo... estranhamente certo pela primeira vez em muito tempo. A multidão em volta de mim. Os uniformes azuis e brancos no campo. O técnico soprando o apito que fica em volta do seu pescoço.

Alguns dos jogadores do Ambrose que estão no banco riem, empurrando um ao outro enquanto fazem piadas. Um deles se levanta e começa a fazer a dancinha que Sam criou para cada início de jogada quando estávamos no terceiro ano, enquanto outro pega algumas batatas Pringles de uma mochila aos seus pés aproveitando que todo mundo está distraído. Isso me lembra *tanto* o Sam.

Quando éramos novatos e claramente reservas do time, íamos para o campo com lanches escondidos em nossos capacetes e os comíamos quando o técnico estava no meio de uma jogada. Certa vez, eu convenci Sam de que deveríamos tentar ser um pouco mais saudáveis e levar amendoins em vez de biscoitos. Claro que, justo nesse dia, Lucas McDowell, um reserva do último ano, decidiu nos dedurar no final do terceiro quarto.

O técnico nos fez correr uma volta para cada amendoim do saco.

Quase perdi um pulmão nesse dia. E então precisei ouvir Sam reclamar o tempo todo sobre como teríamos terminado vinte voltas antes se tivéssemos levado biscoitos porque *não teria* sobrado nenhum na sacola no final do terceiro quarto.

Eu sorrio sozinho e observo o jogo que segue. Antes que eu me dê conta, sou levado pela multidão no melhor sentido possível, gritando quando nosso time consegue um primeiro *touchdown* em uma jogada vinda do meio, ou quando o outro time perde um gol fácil de treze jardas.

O uniforme brilhante das líderes de torcida chama minha atenção. Elas estão em formação, alinhadas bem na frente das arquibancadas, seus pompons azul e branco se movendo com precisão. Quando uma menina loira é lançada no ar, eu desvio o olhar antes que minha mente possa brincar comigo.

Volto minha atenção para o *quarterback* enquanto ele dá início ao jogo no campo. Meus olhos seguem os jogadores que se movem para suas posições. Eu vejo um *fullback* fora de lugar, deixando um vazio grande o suficiente para que a defesa passe facilmente por ali. *Ah, não.* Eu quero gritar para o *quarterback prestar atenção,* mas minha voz congela.

O *center* passa a bola. Aperto as mãos contra a arquibancada na qual estou sentado quando a linha de ataque se quebra para fazer a jogada. O *quarterback* inclina o braço para fazer um passe no momento em que a defesa cai em cima. Camisas vermelhas correm na direção do ataque e o troncudo número 9 acha o espaço.

Tudo parece desacelerar. Meu peito está pesado de apreensão, mas não consigo desviar os olhos. É muito familiar. Familiar demais.

No campo, o *fullback* congela, percebendo seu erro. Ele salta para proteger seu *quarterback,* mas é tarde demais. O número 9 já está lá, nada além de ar entre ele e seu alvo.

Eu me levanto desengonçado quando a bola cai de um jeito estranho da mão do *quarterback,* todo seu corpo se contorcendo sob o peso do número 9.

Seu grito reverbera por todo o estádio.

Meu ombro repuxa em solidariedade quando eu vejo o *fullback* gritando por ajuda, seu *quarterback* se debatendo no chão, braços abertos em um ângulo nauseante. O técnico corre para o campo e arranca o capacete do *quarterback* revelando cabelos castanhos bagunçados e... *Ah, meu Deus.*

Estou olhando para mim mesmo. Sou *eu* ali embaixo, braço torcido para trás.

Quase passo mal, me esforçando para engolir a bile amarga. *Isso não está acontecendo.*

O *fullback* cai na grama. Ele arranca seu capacete. É *Sam.* Sam errou o bloqueio.

Eu consigo ver o pânico no rosto do meu melhor amigo mesmo daqui.

Minha perna ruim treme e trava, incapaz de sustentar meu peso. Eu desabo no banco, um dos piores momentos da minha vida acontecendo bem diante dos meus olhos. Como isso pode estar acontecendo? Meu cérebro está mexendo comigo de novo. Deve ser isso. Só de pensar nisso já começo a me acalmar.

Não é real. É uma alucinação. Isso é tudo.

— Você é mais forte que isso, Kyle — uma voz diz ao meu lado.

Eu congelo, então viro lentamente minha cabeça.

Deus, aí está ela. Kimberly, sentada no banco ao meu lado, olhando em frente, focada no campo, sua pele suave como porcelana sob as luzes brilhantes do estádio. Eu pisco furiosamente, esperando que ela desapareça, mas ela continua ali.

— Você não está aqui — eu sussurro.

— Eu nunca fui embora — ela diz e vira para me olhar, as luzes do estádio iluminando o restante do seu rosto. Todo o lado direito da sua cabeça está cortado e ensanguentado, seu cabelo loiro embaraçado e vermelho. Ela move sua mão para tocar a minha. E nada a impede. Eu a sinto. Mas ninguém mais está reagindo.

— Você não está aqui. — Eu me afasto dela e me levanto em um salto, tentando colocar o máximo de espaço possível entre nós. — Você não está aqui! *Você não está aqui, porra!*

— Que merda é essa? — alguém diz, me trazendo de volta para a realidade.

Em um piscar de olhos, Kim é substituída por um cara de cabelo cacheado alguns anos mais novo que eu, seu rosto pintado de azul e branco.

— Eu estou aqui, cara — ele diz, deslizando para longe de mim enquanto me olha de cima a baixo. — Mas você talvez precise ir pra outro lugar.

Merda.

O que aconteceu? Qual é o meu *problema?*

Eu pego minhas compras, que começaram a descongelar, e saio dali o mais rápido que minha perna estourada permite.

Minha cabeça está explodindo quando abro a porta da frente. Largo as compras na entrada e corro direto para o banheiro.

Respirando fundo, seguro a borda da pia e sinto o mármore gelado sob as minhas palmas.

— Ela não está te assombrando. É tudo coisa da sua cabeça, idiota — digo para o meu reflexo.

Eu me inclino para a frente para encarar a cicatriz, a longa linha vermelha e irregular, ainda inflamada e feia. Ergo o braço e a toco de leve, querendo sentir a pele que se recupera sob a minha mão, me perguntando o que ainda está quebrado ali embaixo.

Talvez tudo.

Eu solto o braço e meus dedos encontram a bancada de novo, agarrando-a com mais força. Meu olhar passa da cicatriz para os meus olhos refletidos, as pupilas grandes e trêmulas.

— Kyle? — Uma voz diz atrás de mim e eu dou um salto de quase um metro.

Eu me inclino para o lado e ignoro o meu reflexo no espelho para olhar para a minha mãe, ainda com suas roupas de trabalho, seus olhos cansados, mas alertas.

— Você está bem?

Como eu não me esquivo imediatamente, ela pega minha mão, me levando pelo corredor até a sala de estar. Ela me senta no sofá e eu finalmente solto a verdade.

— Eu fico vendo a Kimberly — digo enquanto me preparo para a expressão de pena que vai surgir no rosto dela. — Nesse sofá, na sorveteria e *hoje* nas arquibancadas. Eu sei que não é real, não precisa me dizer isso. Mas mãe... parece *tão* real. E eu fico sentindo que é porque foi minha culpa que...

Ela aperta minha mão para parar minha divagação, as palavras pesadas no ar.

— Kyle, *nada* disso é culpa sua — minha mãe me garante. Sua voz é calma. Segura. — Nada disso. Você vai melhorar.

Eu não acredito nela, mas pelo menos ela não está me olhando como se eu fosse louco ou patético, o que é um alívio. Só de contar para ela já ajudou a fazer minha respiração voltar ao normal.

— Mas eu mereço melhorar? — pergunto. Minha voz falha na última sílaba e eu engulo em seco, lutando para me recompor.

Ela pega meu rosto nas mãos, seus polegares acariciando suavemente minhas bochechas.

— Você vai ficar bem. Pra se curar é preciso *tempo*. Pra seguir em frente. Não só fisicamente — ela diz e respira fundo. — Quando seu pai morreu, eu precisei de tudo o que tinha pra me recompor e estar presente, ser a melhor mãe que podia pra você.

Minhas memórias dessa época são tão vagas e incompletas porque eu tinha acabado de entrar no jardim de infância. Eu não consigo lidar com minha dor, mas ela fez isso enquanto também precisava cuidar de uma criança.

— Como você conseguiu, mãe? — Eu pergunto. — Kim disse naquela noite que eu não sabia ser eu sem estar com ela, e estou começando a achar que ela estava certa.

— Eu ainda estou tentando. Um passo de cada vez — ela diz. — E sempre olhando para a frente. Nunca pra trás. Assim como você vai fazer. — Os olhos dela ficam mais sérios. Mais sérios do que eu já vi na vida. Ela me puxa para um abraço. Com seu rosto enterrado no meu pescoço, eu mal consigo ouvir o que ela sussurra. — Você vai lutar pra voltar.

Sempre para a frente. Nunca pra trás.

Eu penso nisso enquanto guardo as compras e escondo os *pizza rolls* congelados no frigobar do porão. Ela disse que eu vou lutar para voltar. Mas eu nunca precisei lutar sozinho. A lesão no ombro, o nervosismo antes de um jogo, aulas difíceis na escola, em tudo isso eu tive o apoio de Kim.

Kim me disse naquela noite que eu podia seguir em frente sem ela.

O que ela não me disse foi como.

Eu pego nossa foto do jogo e me sento na cama. O sorriso dela me ilumina.

Meu "para a frente" sempre a incluiu. Nós já tínhamos nos matriculado em matérias da UCLA, minha agenda refletia a dela, embora ela ainda não tivesse ideia do que queria estudar. Mas eu achei que teria tempo de decidir os detalhes. De descobrir o que *eu* queria. Kim ao meu lado o tempo todo.

Pensando bem, acho que eu não tinha mesmo um plano para mim. Eu tinha um plano para *nós*.

Mesmo que eu *pudesse* pensar em algo, não tenho mais como seguir em frente agora, assombrado pelo fantasma da minha namorada.

Ex-namorada, eu me corrijo. E isso torna tudo pior. Como se eu não tivesse direito ao luto dentro de mim. Só à culpa. Até pensar em Kim me assombrando faz com que eu me sinta um babaca. Ela não queria estar comigo em vida, então por que perderia tempo me seguindo agora? Eu jogo nossa foto na cama, percebendo que só existe uma outra resposta possível para o que aconteceu hoje.

Uma que faz sentido.

Talvez eu só esteja enlouquecendo.

Talvez seja isso que eu mereço.

7

— **Então? — Eu pergunto à dra. Benefield** na segunda de manhã. — Estou doido? — Minha mãe marcou a consulta para me provar que não estou doido.

Ela desliga a lanterninha e a enfia no bolso do jaleco branco enquanto sacode a cabeça, me dando um sorriso divertido.

— Não. Você sofreu uma perda significativa e isso pode se manifestar de formas inesperadas.

— Tipo ser assombrado pela Kimberly?

— Tipo... ver o que você *quer* ver — ela corrige, erguendo seu iPad para me mostrar as tomografias do meu cérebro que fiz hoje. — Olha. — Ela passa de um cérebro saudável para o meu para provar alguma coisa sobre como eu estou "ótimo". Minha mãe estica o pescoço para ver as imagens, mas eu nem me dou ao trabalho.

— Nossos cérebros são máquinas magníficas — a dra. Benefield acrescenta, fechando seu iPad. — Eles fazem o que precisam fazer para nos proteger da dor, seja física ou emocional. Não há nenhum problema no seu que não vá passar com o tempo. O.k.?

Para *nos proteger da dor?* Como ver minha namorada morta me protege da dor?

Ela me olha até eu concordar, então puxa um bloco de receitas e uma caneta e rabisca algo na página antes de arrancá-la e entregá-la para mim.

Eu a pego e baixo os olhos para ler. Estou esperando ver algum nome maluco de remédio, mas o que está escrito é: *Relaxe. Não está acontecendo de verdade.*

Ótimo.

— Kyle — ela diz e eu levanto os olhos, encontrando seu olhar sério. — As visões que você tem tido, elas não são reais, o.k.? Elas vão sumir quando você estiver pronto. Eu prometo. Mas, por enquanto, quando acontecerem, pegue essa receita. Leia, lembre-se dela, acredite no que ela diz.

Eu faço que sim, mas as palavras dela não me confortam. *Sumir?* O que vai acontecer quando até esse último traço da Kim sumir? Quando eu a vejo, eu sinto que sou um doido, o que é uma droga, mas eu também *a vejo.* E eu não estou pronto para perder isso.

Depois de voltarmos para casa, minha mãe sai para o trabalho. Preparo uma tigela de sucrilhos e sento na mesa da cozinha. Por um tempo tudo que ouço é minha mastigação barulhenta, mas então eu juro que escuto uma voz abafada, sem conseguir discernir as palavras. Fico imóvel, a colher a meio caminho da minha boca, forçando os ouvidos.

— Mãe? — eu chamo, minha voz ecoando pela casa vazia. Será que ela esqueceu alguma coisa? Eu ouço com mais atenção e percebo que o som parece vir de baixo. Do meu bolso.

Quando eu puxo meu celular, há sons saindo dele. Ah, cara. Para quem minha bunda telefonou?

— ... *Sam* — a voz diz quando eu ergo meu telefone até o ouvido, as palavras finalmente claras o suficiente para que eu entenda. Eu abro minha boca para responder, mas percebo que é uma mensagem na caixa postal. — *Eu nem sei se você vai ouvir isso, mas eu preciso te dizer que estou preocupado. E antes que você ria, babaca, é sério. Você está nos assustando.*

A mensagem corta e a tela se acende, mostrando a lista de mensagens não ouvidas.

Eu encaro o celular na palma da minha mão. Meu polegar hesita acima do botão verde de ligação por tanto tempo que a tela apaga. Eu engulo em seco, então enfio o celular de volta no bolso.

E só depois de terminar de comer, limpar o sofá do porão, encher um saco de lixo inteiro com embalagens de comida, lavar a louça e os copos que estavam ao lado da minha cama e completar todas as tarefas existentes que eu podia pensar, tomo coragem para ligar para ele de volta.

O telefone toca por tanto tempo que nem tenho certeza se ele vai atender. Com certeza ele está bravo comigo depois de meses sendo ignorado.

Mas é o Sam, então apesar de eu não merecer, ele atende.

Sam termina seu uísque e pega o cantil para espiar dentro, seu rosto curioso. Eu o observo, notando a expressão cansada em volta dos seus olhos escuros e a barba por fazer, algo que eu literalmente nunca vi no rosto dele.

Normalmente eu o provocaria por isso, mas ele está monossilábico desde que chegou aqui, há quinze minutos, não importa o que eu diga.

Minhas habilidades sociais claramente pioraram bem depois de um verão inteiro sozinho.

— O que, hum, te fez decidir ficar por aqui? — Eu pergunto, apontando com a cabeça para a camiseta azul e cinza da faculdade local que ele está usando. Eu sei que ele entrou em algumas universidades públicas, então eu não sei o que o fez mudar de ideia.

Ele ergue uma sobrancelha para mim e eu vejo algo que só vi raras vezes em uma vida inteira de amizade.

O Sam bravo.

— Minha vida não tem sido exatamente flores, cara. Uma das minhas melhores amigas morreu e meu melhor amigo desapareceu da face da Terra — ele diz. Depois de um minuto, a expressão dele se suaviza. — Eu não tinha ideia do que estava acontecendo com você. Eu tinha que ficar perguntando para a sua mãe.

Eu dou um gole longo no uísque. Ele queima minha garganta, mas ajuda as palavras a saírem mais fácil.

— Me desculpa, Sam.

Eu estou falando sério. Mas devo honestidade a ele.

— Eu sei que fui um amigo bosta, mas eu só... não conseguia. Eu não conseguia ficar perto de você. Eu não conseguia ficar perto de *ninguém*. Às vezes eu acho que ainda não consigo.

Sinto os olhos dele me avaliando.

— Você está com uma cara de merda — ele diz, finalmente, apontando para minha camisa amassada, cabelo precisando de corte, barba estranhamente encaracolada.

Eu dou de ombros. Não me importo muito com a minha aparência. Kimberly não está aqui para me ver. Era sempre ela que me dizia que eu parecia um animal quando ia de moletom para a escola. Que havia outras roupas além de shorts de corrida. Que importa agora se eu faço a barba, penteio o cabelo ou visto uma camisa limpa? E por que importava antes, se tudo ia acabar assim?

— Bom — Sam suspira e o que resta da raiva dele parece evaporar de seus ombros. — Eu estou feliz que não te perdemos também, mesmo que você esteja com uma aparência de merda — ele diz enquanto inclina o cantil na sua mão para servir mais no copo.

Ele sorri e aponta com a cabeça para o cantil.

— Como isso chegou até aqui?

— Eu encontrei nas sacolas que vieram do hospital — eu digo, apontando com a cabeça para o armário onde minha mãe colocou as coisas depois de jogar fora meu paletó rasgado e ensanguentado. — Minha mãe não deve ter notado.

Eu sei que podia pegar a saída fácil. Manter a conversa assim, uísque e bobagens. Mas as palavras dele ainda ecoam no meu ouvido. Algo nelas parece errado.

— Você está feliz por não ter me perdido também — eu repito, sacudindo a cabeça. — Às vezes eu queria que tivesse sido eu. Às vezes eu sinto como se estivesse esperando que ela entrasse por aquela porta. — Eu olho para o outro lado do corredor, para o sofá e a almofada cinza vazia. — Esperando que as coisas voltem ao normal.

O rosto de Sam fica sério, como costumava ficar quando ele começava a cantar antes de uma grande jogada.

— Eu também — ele diz com uma voz firme. — É por isso que não podemos esquecê-la. Precisamos ficar juntos porque somos os únicos que podemos manter a memória dela viva. Era o que a Kim iria querer.

O que a Kim queria. Eu costumava achar que sabia o que ela queria melhor que qualquer um. Mas não. Sam sabia.

Eu penso em todas as conversas que aconteceram pelas minhas costas. Em como ele sabia o que ela *realmente* sentia. O que ela realmente queria.

— Há quanto tempo você sabia? — Eu pergunto a ele.

— Sobre Berkeley?

Ele hesita, mas em vez de responder, só baixa a cabeça.

— Desculpa. Eu devia ter te contado.

— É — eu digo, simplesmente. Mas eu penso no que Kim disse no carro, quando falou em terminar. Em ela ir para Berkeley. *Você teria deixado?*

Ele também pensava assim?

Ele me observa por um longo tempo e, quando percebe que não vou explodir, ele continua.

— Eu sei que aquela foi uma noite ruim, mas ela te amava. Você precisa se lembrar disso.

Eu deixo as palavras assentarem, e elas fazem minha cabeça flutuar mais do que o álcool. O "amava" no passado ainda é tão dolorido quanto naquela noite. E é coisa demais para lidar agora.

Sam não insiste no assunto. Nós passamos para um território mais seguro, falamos dos planos dele para este semestre e os jogos de futebol da UCLA, embora eu não tenha tido forças para acompanhar nada da pré-temporada.

E então, quando ele vai embora, eu prometo não ser mais um babaca e mandar mensagens mais vezes.

Mas alguns minutos depois que a porta se fecha atrás dele, eu a abro novamente e saio em meio ao vento frio do fim de verão. Levo um segundo para perceber que estou indo para o lago, levando o cantil de uísque pela metade comigo, mancando pela trilha que leva ao parque. Sento à beira d'água, à sombra de um dos grandes salgueiros, com o olhar distante enquanto o sol da tarde reflete na superfície da água e a faz brilhar.

O vento sopra suave, puxando meu cabelo e trazendo consigo uma voz. Um sussurro. As palavras são baixas demais para eu discernir.

Olho em volta, tentando achar de onde ela vem, mas dessa vez eu não me surpreendo por não encontrar nada – só a grama verde em volta do lago, as árvores rodeando a margem, e um sentimento que não consigo afastar. O que Sam disse fica passando pela minha mente, como as voltas depois de um saco de amendoins confiscado.

Eu não estou preocupado com não esquecê-la. Eu nunca poderia. Mas como eu deveria saber o que ela iria querer que eu fizesse? Como ela gostaria que eu fosse sem ela?

A voz some na brisa e eu passo as mãos pelos meus cabelos, questionando se sou capaz de me aguentar em pé quando me sinto tão instável.

8

Encaro meu reflexo no espelho do banheiro e enfio a barra da minha camisa branca dentro das calças enquanto checo minha aparência uma última vez.

Meu cabelo ainda está uma bagunça, comprido e sem corte, mas a barba por fazer dos últimos três meses se foi, e o novo pós-barba que eu comprei antes da formatura finalmente foi usado. A cicatriz na minha testa desbotou e o vermelho agora é um cor-de-rosa bem menos chamativo.

Eu não diria que estou com uma boa aparência, mas pelo menos parece que estou me esforçando. Além disso, eu não quero que Kimberly me veja com essa cara de quem "nunca ouviu falar de algo chamado banho".

Sorrio para mim mesmo, me lembrando do banquete para atletas no final do terceiro ano. Eu fui direto depois de um jogo de futebol no quintal com Sam. Ela quase me matou por causa disso antes mesmo da gente entrar, então puxou um pente da bolsa para arrumar meu cabelo de um jeito que só ela conseguia.

É sempre assim: alguma lembrança me prende no lugar, me impede de seguir.

Mas Sam estava certo na semana passada. Eu preciso ir vê-la. Eu não posso deixá-la pensar que eu a esqueci.

Suspirando, eu saio pela porta do banheiro e passo para o meu quarto. Minha determinação se torna incerteza quando minha mão hesita sobre o buquê de íris, as pétalas roxas vivas demais para um dia tão pesado.

Estou mesmo pronto para isso?

Penso nas semanas que se passaram desde que minha mãe decidiu arrancar minha porta do batente. Acho que em alguns aspectos me sinto mais forte. Estou realmente indo às minhas consultas. Estou respondendo as mensagens do Sam em vez de ignorá-las. Não pirando cada vez que vejo Kim em cadeiras vazias ou do outro lado da sala, lugares em que ela não poderia estar.

Mas hoje eu vou realmente vê-la. Vou ao cemitério ficar em frente a uma lápide com o nome dela e tentar o máximo que posso entender o que ela iria querer que eu fizesse.

E agora que esse momento chegou, eu estou com muito medo. A mesma sensação de estômago contraindo quando a falsa Kim decidiu aparecer ao meu lado durante aquele jogo de futebol duas semanas atrás. O que vai acontecer quando eu estiver realmente perto dela?

Quer dizer... Eu poderia fazer isso amanhã. Ou até mesmo semana que vem. Quando a minha mãe chegasse em casa, da rua, eu até poderia ligar para o Sam para... adiar. Mas eu só estaria adiando.

— Não seja tão complicado, Kyle — eu murmuro e subo os degraus, passando pela porta, esperando que a caminhada superlonga até o cemitério me dê tempo suficiente para me recompor.

Mas é claro que hoje parece ser só um quarteirão.

Rápido demais os portões de ferro fundido aparecem diante de mim, as grandes árvores fazendo sombra sobre o mar de túmulos, uma tristeza pesada nos galhos caídos. Diminuo ainda mais o passo enquanto sigo pelo caminho, observando cada lápide, adiando meu destino. Mães, pais, filhos, avós. Até mesmo crianças.

Merda, eu *não queria* estar aqui.

Alguns túmulos estão bem cuidados, com flores frescas em volta da lápide, lembranças de amigos e pessoas queridas.

Outros estão tomados pelo mato, não há mais ninguém para cuidar deles.

O túmulo de Kim está bem? Eu realmente espero que sim. Embora *eu* não me importe de parecer desleixado, não acho que aguentaria ver qualquer coisa dela abandonada assim.

Eu não gostaria que tivesse a aparência… como… a desse aqui.

Eu paro para observar uma pequena lápide com hera subindo pelos cantos e uma única palavra na inscrição: ADEUS. Sem nome, sem data, nada.

Merda, isso é triste. Minha cabeça ferve de dor e eu preciso me manter firme, piscando os olhos a cada letra, o U, o E, até a sensação começar a passar.

Eu me pergunto a que tipo de pessoa pertence uma lápide assim. Se alguém sequer se lembra dela.

Quando toda a dor se dissipa, eu puxo uma flor roxa do buquê que tenho em mãos e a coloco com cuidado na lápide solitária. Eu não sei bem por que faço isso, mas parece algo que deveria ser feito. Especialmente porque a lápide ao lado está cercada por um mar de flores cor-de-rosa que vão até onde a sepultura permite. As grandes pétalas triangulares são brilhantes e chamativas. Eu realmente não sei como não reparei nelas antes.

Eu toco suavemente uma das flores. Acho que as reconheço do jardim da minha mãe. Ela tentou cultivá-las alguns anos atrás. Elas têm um aroma forte o suficiente para entrar pela janela da cozinha nas manhãs de verão.

Mas como elas se chamam mesmo?

Já passei por metade dos dez nomes de flores que eu conheço quando percebo quanto tempo estou demorando.

Eu me apresso. *Vamos lá, Kyle.*

Continuo na trilha por mais alguns passos, minha mente passando daquelas flores cor-de-rosa para a lápide com o ADEUS. Algo nela parece errado. *Por que,* exatamente? Eu estou tão compenetrado pensando nisso que quase deixo passar.

KIMBERLY NICOLE BROOKS

DESCANSE EM PAZ

Eu perco todo o ar.

O túmulo não está coberto de grama ou negligenciado. Na verdade, alguém já deixou um enorme buquê de tulipas azuis ali, com cores vivas o suficiente para ter um toque de lilás na base de suas pétalas regulares.

Tulipas azuis.

Eu olho para as íris na minha mão. Merda. Tulipas azuis eram definitivamente as flores favoritas dela. Eu consigo ouvi-la nesse momento me dizendo que ela as amava porque combinavam com seus olhos.

Íris são apenas as primeiras flores que eu comprei para ela. Se Kim estivesse aqui, ela se recusaria a falar comigo pelo resto do dia. Ou da semana, se ficasse especialmente chateada com isso.

Deus, eu a amava, mas eu odiava quando ela fazia isso.

Eu a *amo*, eu me corrijo. Eu sempre vou amá-la. Qual o problema comigo, pensando nisso num momento desses?

Eu coloco meu triste buquê de íris ao lado das tulipas e minha mão toca na pedra cinza e áspera. Meus dedos traçam o nome dela. Os últimos meses me trouxeram até esse momento.

— Kim...

Eu paro, colocando a mão inteira na lápide, todos os sentimentos que eu mantive enterrados me atingindo ao mesmo tempo. Eu não consigo fazer isso. Não consigo estar aqui. Não ainda.

Mas respiro fundo e tento começar de novo.

— Eu... Eu não acredito nisso. — Sacudo a cabeça enquanto minha garganta arde. — Eu não posso acreditar nisso. Mas todos os dias quando eu acordo tenho que encarar que você não está mais aqui.

Eu sinto uma pontada de dor na minha têmpora, uma irradiação que vem de um único ponto, quase um chiado. Eu a esfrego com a ponta dos dedos e luto para continuar.

— Se eu pudesse fazer tudo outra vez, eu não teria ficado tão bravo na festa — eu digo, finalmente. — Eu não teria forçado aquela conversa no carro. Eu teria escutado quando você disse que queria...

Se virar e não me ver ali. Eu engulo em seco, as palavras dela ecoando na minha cabeça. Elas ainda doem, mas é uma dor mais suave do que aquela com a qual eu me acostumei.

E isso não é sobre *a minha* dor.

— Eu teria te dado o tempo que você quisesse. Eu teria... Eu teria deixado você dirigir — eu digo com uma risada áspera. — Você com certeza teria rido disso — continuo, quase escutando o som, vindo de algum lugar fora do meu campo de visão. Quase.

Abro a boca novamente, querendo dizer tanta coisa, mas os pensamentos viram um emaranhado de palavras e tristeza, uma bagunça geral sem sentido. Eu aperto as minhas mãos contra a lápide com mais força, tudo aumentando e aumentando até meu cérebro ferrado finalmente explodir. Uma dor aguda e penetrante atravessa a minha têmpora e pequenos flashes de luz irradiam para dentro vindos do canto do meu olho.

Puta merda.

— Era uma vez um menino... — diz uma voz atrás de mim, com palavras suaves e delicadas o suficiente para fazer um arrepio subir pelo meu braço.

De início, encoberto pela neblina da dor, eu acho que é Kim. Outra alucinação. Mas a voz não é a dela.

Eu me viro rapidamente, esperando ver alguém, mas só encontro as árvores farfalhantes. Minha visão embaça, depois clareia. A dor pulsa atrás dos meus olhos, então eu os fecho com força, esfregando minhas têmporas até que a dor enfraqueça o suficiente para que eu enfie a mão no bolso e puxe uma embalagem de Tylenol.

Eu luto contra o lacre de segurança da embalagem antes de finalmente conseguir libertar dois comprimidos na palma da minha mão e engoli-los a seco.

Mas a voz não se foi.

— Ele estava triste e sozinho — ela ecoa atrás de mim.

Dessa vez, quando eu me viro, minha mente está límpida o suficiente para eu ver uma garota com um suéter amarelo-sol a alguns passos de mim, perto do mar de flores cor-de-rosa. Seu cabelo é comprido, castanho e ondulado e parece balançar suavemente, no mesmo ritmo das árvores atrás dela.

Ela me estuda com tanta incerteza que eu me pergunto se a voz veio de algum outro lugar. Mas só estamos nós dois aqui.

Esfrego os olhos tentando focá-los nela. Algo na garota é... familiar. Será que ela frequentou o Ambrose? Acho que não, eu conhecia praticamente todo mundo que estudava lá e acho que definitivamente me lembraria dela.

— Oi — eu digo, erguendo minha mão no aceno mais desconfortável do mundo.

Ela se vira para olhar por cima do ombro, como se estivesse procurando a pessoa para quem eu estou acenando realmente.

— Eu te conheço? — pergunto quando ela volta a olhar para mim. Ainda estou tentando lembrar de onde eu a conheço, meu cérebro passando por acampamentos, jogos de futebol e corredores. Ela balança a cabeça em negação e, embora eu possa jurar que já a vi antes, eu não insisto. — Você disse alguma coisa agora há pouco?

A garota hesita, seus olhos cor de mel arregalados de curiosidade. Ou talvez de surpresa. Ou talvez ela esteja confusa por ter me visto brigar com a tampa de uma embalagem de remédio por um minuto e meio.

— Eu não achei que você pudesse me ouvir — ela diz.

Eu me aproximo dela e noto uma constelação de sardas em seu nariz.

— Eu ouvi alguém falando. Foi você?

Ela parece cautelosa, incerta se deve responder. Os olhos dela examinam os meus.

Eu deveria voltar para o túmulo de Kim, o motivo de eu estar ali, mas em vez disso as palavras saem da minha boca.

— Era uma vez, certo?

Os olhos dela se fixam nos meus e essas quatro palavras pairam entre nós.

Ela coloca o cabelo atrás das orelhas, seu rosto corando.

— Eu... conto histórias — ela diz enquanto toca de leve uma das flores cor-de-rosa.

— Histórias? Tipo... contos de fadas?

— Sim — ela responde, me olhando de volta com um sorriso pequeno e satisfeito. — *Exatamente* como contos de fadas.

— Que legal — eu digo e fico parado na frente dela, as flores cor-de-rosa entre nós. Ela começa a fazer círculos na terra com a ponta do *all star* amarelo que está usando. Como ela não diz mais nada, eu começo a falar de novo.

— Qual o seu nome? — Eu pergunto, mas a voz dela atropela a minha com a pergunta:

— Sua cabeça está doendo?

Minha cabeça? Eu toco a cicatriz. Achei que meu cabelo comprido a cobrisse.

Eu corro os dedos por ela. A dor ainda permanece, porém mais distante agora.

— Como você...

— Marley — ela diz, nossas palavras se atropelando de novo. — Meu nome é Marley.

Marley. O nome não é familiar, mas o rosto dela é.

— Meu nome é Kyle — eu digo, tentando nos manter em uma conversa só, em vez de duas. — Kyle Lafferty.

Ela assente e estuda meu rosto por um longo tempo antes de dizer:

— Comida ajuda. As dores de cabeça. — Meu olhar pousa inconscientemente na boca dela. Seus lábios são rosados e delicados, curvados nos cantos como duas pétalas de rosa.

— Talvez você devesse comer alguma coisa? É hora do almoço — ela diz.

Uma dor rápida e aguda cruza minhas têmporas e some antes mesmo que eu erga a mão para tocá-las.

— Você... quer almoçar? — Ela pergunta.

— Ah — eu digo, finalmente entendendo. Meu estômago contrai. Eu não estou aqui para fazer amigos. Eu estou aqui por causa de Kim. Eu sacudo a cabeça e começo a me afastar dela. — Não. Hum, eu preciso ir...

— Mas você está com fome — ela argumenta.

Eu abro minha boca para protestar e, como se fosse programado, meu estômago solta um ronco longo e grave. Perfeito. Marley dá um sorriso. Eu preciso me controlar para não sorrir de volta enquanto uma risada tenta sair. É uma reação tão estranha para mim agora, dar risada. Mas a sensação é... boa.

E ela está certa. Eu estou com fome. Mas... ir almoçar com ela significaria sair daqui antes de terminar de falar com Kim. Embora eu não faça ideia do que dizer, não parece certo fazer nenhuma outra coisa.

Então, se eu não posso fazer *isso* eu provavelmente devia ir para casa.

— Obrigado, mas eu realmente não posso — digo e passo mancando por ela, indo em direção ao portão, derrotado.

— Ah. Você vai embora — ela diz. Algo na voz dela me faz dar meia-volta.

Eu estou mais do que pronto para começar a longa caminhada para casa, mas ela coloca o cabelo atrás da orelha, seus olhos cor de mel cheios de expectativa.

Continue andando.

Eu quero, mas me sinto preso, meus pés desobedecendo completamente meu cérebro.

Marley dá um passo na minha direção, mas como eu não digo nada, ela enfia as mãos nos bolsos e desvia o olhar.

Talvez ela esteja solitária. Um cemitério não é exatamente um bom lugar para passar a hora do almoço.

Acho que consigo me identificar com isso. Nos últimos três meses minha vida social se resumiu a passar o tempo com a minha mãe. Às vezes Sam, mais recentemente, mas no geral só minha mãe. Isso provavelmente não é a coisa mais normal do mundo para um cara de dezoito anos, mas eu nem sei mais como ser normal.

Eu olho para ela de novo. Quer dizer, é só um almoço. Eu ia para casa comer cereal ou algo assim de qualquer forma.

Ela me dá um pequeno sorriso, como se soubesse o que eu estou pensando.

— Então… — ela incentiva.

— Vamos almoçar? — Eu pergunto.

A voltagem do sorriso dela é equivalente a uns nove sóis. Seus olhos parecem mais brilhantes, a cor de mel mais viva. Mais vibrante. Mais verde.

É contagioso. De repente, eu também estou sorrindo. Meu primeiro sorriso verdadeiro em meses. É uma boa sensação deixar alguém feliz, para variar.

— Eu adoraria — ela responde, e nós seguimos juntos pela trilha em direção aos grandes portões de ferro. Eu hesito, olhando de volta para o túmulo de Kim enquanto estamos saindo. Eu não sei o que eu esperava que acontecesse, mas definitivamente não era isso. Eu prometo a ela que vou voltar, que da próxima vez eu vou saber o que dizer, mas ela permanece em silêncio.

9

Alguns minutos depois, eu congelo quando percebo onde estamos.

Aqui? Mesmo? De todos os caminhos que poderíamos ter trilhado, meus pés me guiaram automaticamente para esse, a trilha sinuosa do parque que chega no...

— Ah, eu amo esse lago — Marley diz.

Eu dou um olhar enviesado para ela.

— Você já esteve aqui?

Ela assente e uma peça do quebra-cabeça entra no lugar. Talvez seja por isso que ela parece familiar. Eu devo tê-la visto quando vinha aqui com Kim e Sam.

O lago era um dos nossos lugares favoritos, especialmente porque normalmente ficava bem vazio no fim da tarde e definitivamente vazio à noite. Sem luzes em volta, toda a piscina de água e as árvores imersas na escuridão eram só nossas. Ali bebemos champanhe barata em copos descartáveis quando Kim conseguiu o posto de capitã das líderes de torcida e Sam subiu na pedra do meio, agitando os braços, quando ele foi convocado para o estadual depois de uma temporada perfeita no terceiro ano.

Às vezes eu e Sam vínhamos sozinhos se estávamos matando tempo depois do treino, ou Kim me encontrava aqui para resolvermos alguma briga.

Agora eu me pergunto se eles vinham aqui sozinhos. Se foi aqui que Kim contou a Sam sobre Berkeley.

— Mas eu fico daquele lado — Marley diz, chamando minha atenção ao apontar para o outro lado do lago, onde há um pequeno bando de patos, seus pés cor de laranja contrastando com a coberta verde da grama. — É onde ficam meus patos.

Não sei se meus olhos estão me enganando, mas eu juro pela minha perna boa que a grama parece mais verde daquele lado. É uma metáfora estúpida, eu sei, mas eu preciso de uma desculpa para me afastar do nosso banco e desse sentimento de garras no meu peito.

— Vamos para o seu lado, então. — Eu começo a andar naquela direção, meus olhos encontrando os de Marley quando eu aponto o outro lado do lago com a cabeça.

Faço uma pausa para reajustar minha muleta e quando ergo os olhos vejo que Marley já deu metade da volta, me deixando totalmente para trás.

— Ei! — Eu grito para ela. — Onde é a corrida? — Ela se vira para me olhar, seu cabelo comprido flutuando na brisa, o sol demarcando seu rosto. É como uma foto muito bem planejada do Instagram que ganhou vida. Uma imagem perfeita que normalmente você precisa de trezentas tentativas para conseguir.

Eu desvio os olhos e aponto para um pequeno quiosque a alguns metros dali, com uma placa vermelha e amarela ao lado.

— Vamos almoçar — eu digo, repetindo as palavras de antes.

Ela sorri. Nós vamos até lá, mais devagar agora, até o pequeno quiosque onde cada um de nós compra um cachorro-quente e batatas fritas. Eu compro uma coca, mas Marley escolhe o chá gelado deles, feito com hortelã fresca da pequena horta comunitária do parque.

— Chá de hortelã gelado é minha bebida preferida. Especialmente no verão — ela diz enquanto olha para as árvores amareladas que estão atrás de mim, os primeiros sinais do outono surgindo por toda parte. — Só me restam mais algumas semanas para aproveitá-lo.

Eu tento equilibrar meu prato e observo enquanto ela pega um pequenino prato de papel para seus condimentos. Ela divide cuidadosamente o ketchup, a mostarda e a maionese, colocando uma barreira de batata frita entre eles, a sobrancelha franzida de concentração.

— Qual é a dessa divisão? Você acha que a mostarda e o ketchup não se dão bem? — Eu pergunto quando nos sentamos na grama verde reluzente do lado dela do lago.

— Eu gosto de pensar que... cada um merece seu próprio espaço — ela diz, colocando os pés embaixo das pernas enquanto ergue uma batata.

Então, porque eu sou um babaca, eu enfio uma das minhas batatas no montinho de ketchup no meu prato e passo direto para a maionese. Ela faz uma careta quando eu enfio a coisa toda na minha boca.

— O.k., mas você sentiu o gosto da batata frita?

Eu mastigo, minha testa franzida quando engulo. Um gosto perfeito de maiochup, mas nada da batata. Eu nem conseguiria distinguir se é mesmo uma batata.

Eu observo Marley cuidadosamente tocar o ketchup com a pontinha de uma batata frita antes de dar uma mordida lenta.

— Às vezes... menos é mais.

Eu dou de ombros e me forço a desviar os olhos na direção do cemitério. Eu me lembro que só estou sendo educado. Fazendo uma boa ação. Não é como se eu fosse vê-la outra vez.

Mas a culpa começa a borbulhar a cada segundo que passa, e a comida começa a perder o gosto.

Não foi para isso que eu vim até aqui. Eu vim me despedir de Kim, não para aprender etiqueta de condimentos com uma garota aleatória que eu conheci a *centímetros* do túmulo da minha namorada.

Ex-namorada, eu me corrijo pela milésima vez, ainda mais frustrado.

O que eu estou fazendo?

Termino rapidamente meu cachorro-quente e me levanto de supetão enquanto empurro minhas batatas na direção dela.

— Fique com o resto — eu digo, evitando os olhos dela porque sei que se encontrá-los provavelmente vou ficar. — Eu tenho que ir. Minha mãe precisa de ajuda com...

— Talvez eu te veja outra vez — ela diz, cortando a mentira que eu estava prestes a inventar. Como se ela tivesse percebido, mas não se importasse. Ela sorri com timidez.

— Talvez — eu digo, embora tenha uma boa certeza de que ela não vai.

Então saio andando vacilante com minhas muletas.

Ainda estou pensando nos molhos divididos, em sua pequena constelação de sardas e na grama verde perto do lago quando passo pela porta da frente de casa quase meia hora depois. Como se tivesse sido ensaiado, a cabeça da minha mãe surge da cozinha para me cumprimentar, a porta mal se fechando atrás de mim. Ela olha minha camisa e calça social.

— Você finalmente foi até o cemitério? — Ela pergunta, segurando com mais força a espátula que tem na mão. Eu deixei escapar, quando Sam foi embora, que eu estava pensando em ir, e ela me pergunta sobre isso todo dia desde então.

— É — eu respondo, ríspido, mas não elaboro. Não foi exatamente um sucesso.

— Eu estou começando a fazer o jantar. Nós podemos conversar enquanto isso.

— Eu já comi — digo enquanto sigo na direção do meu quarto. Eu preferiria quebrar meu fêmur de novo a conversar sobre este dia.

Eu cambaleio escada abaixo até o porão e paro na frente do armário para guardar o blazer. Quando abro a porta, meus olhos param na caixa enfiada no fundo.

A caixa com o que conseguiram tirar do meu carro depois do acidente.

Eu a puxo e a coloco no chão do meu quarto. Fico sentado em frente a ela pelo que parecem horas, tentando juntar coragem para abri-la. Já que não consegui chegar a lugar nenhum no cemitério hoje, eu poderia pelo menos tentar fazer isso.

Eu me pego encarando um pedaço de tecido branco que está saindo por um dos cantos. Eu não sei o que é, mas algo nele me deixa com medo de levantar a tampa. De ver o que mais está ali dentro.

Reúno coragem de enfiar a mão e afastar as camadas. Lentamente exploro o conteúdo e o pedaço de tecido se desenrola revelando ser uma echarpe. Embaixo dela, uma bolsa. Um único sapato.

Pequenas partes dela que nunca mais serão usadas. Nunca mais serão enroladas graciosamente em volta do seu pescoço, ou penduradas no seu ombro, ou chutadas para um canto do meu quarto quando voltamos para casa à noite.

Exploro mais e encontro o globo espelhado, completamente intacto.

Eu o ergo para que a luz do meu abajur se reflita nele e espalhe pequenas faíscas de luz pelo quarto. Um raio de dor atinge minha cicatriz e eu vejo o pequeno globo espelhado refletindo os faróis do caminhão que corre na nossa direção, as centelhas de luz cobrindo o rosto horrorizado de Kimberly. Meu batimento acelera e minha visão fica embaçada.

Solto o enfeite, fecho meus olhos e a dor recua conforme a memória desbota.

Quando eu os abro, meus olhos percebem a pequena caixa de veludo bem no fundo. Com cuidado, lentamente, eu a pego e abro, revelando a pulseira de berloques. Eu passo meus dedos por ela, o metal gelado pousando suavemente na minha palma.

Meus dedos percorrem os berloques e chegam aos elos vazios, o espaço que eu guardei para nossas memórias futuras. Memórias que ela construiria sozinha, em Berkeley.

Agora eu estou construindo memórias sem ela.

Eu penso nas palavras de Sam quando ele esteve aqui em casa. Sobre o que Kim iria querer. Na minha mãe e seu "Sempre para a frente. Nunca pra trás." Em Marley, perto do lago. Nosso lago.

Eu coloco a pulseira de berloques dentro da caixa com cuidado e a guardo. É cedo demais. Eu fui hoje ao cemitério porque pensei que era o que Kim iria querer.

Então por que cada minuto ainda parece ser uma traição ao passado?

10

Alguns dias depois estou de volta ao cemitério, no túmulo de Kim, querendo apenas me sentir próximo a ela. Não de um jeito-macabro-tipo-tendo-uma-visão, e mais de um jeito eu-não-sei-mais-o-que-fazer.

Coloco um buquê de tulipas frescas ao lado das íris já murchas, mas um buquê maior que o meu já está encostado na lápide. Eu me pergunto quantos buquês os pais de Kim deixaram aqui antes de eu vir a primeira vez.

Pelo menos desta vez eu trouxe as flores certas.

Eu pego a echarpe de seda do bolso e a enrolo suavemente na lápide, devolvendo-a à sua dona.

— Bom, Kim — digo enquanto me afasto. — Como sempre, eu estou achando difícil entender exatamente o que você quer. Eu fico achando que sei, mas...

Eu paro de falar, meio que esperando que ela me responda, mas há apenas o som do vento nas árvores, as folhas farfalhando acima de mim.

Então me sento e apoio minhas costas na lápide, esperando em silêncio por um momento de clareza. Cinco minutos se passam. Então quinze. Mas nada vem. E as mesmas perguntas rolam pela minha cabeça como um boletim de notícias que nunca termina.

Eu olho em volta e observo o mar de flores cor-de-rosa a dois túmulos de distância. Me erguendo, eu deixo que a curiosidade me vença.

Eu estico a mão e toco uma das flores, a pétala macia sob a ponta dos meus dedos.

— Lírios orientais — uma voz diz ao meu lado.

Jesus Cristo. Eu dou um salto, quase tendo um ataque do coração quando olho e vejo Marley em pé ao meu lado, seu cabelo comprido preso com um elástico amarelo. Ela pega o lírio que eu estava tocando, seus olhos cor de mel examinando-o.

Meus olhos estudam a lápide aninhada entre as flores cor-de-rosa.

— Minha irmã. Laura — Marley diz suavemente antes que eu possa perguntar. — Ela era minha heroína. Me amava exatamente como sou — ela diz, como se estivéssemos continuando uma conversa já começada. Ela coloca a flor no topo da lápide. — Ela não se importava se eu era diferente. Ou sensível. Ou quieta.

Ela ergue os olhos para me olhar e eu finalmente consigo ver de onde a intensidade do seu olhar vem. É da perda, enterrada no mel profundo, uma dor familiar enrolada em volta da íris. Eu conheço essa dor. É como olhar num espelho.

— Eu queria ser igualzinha a ela — ela acrescenta, desviando o olhar e voltando seu rosto para as flores.

— Quantos anos você tinha quando ela...

— Nós tínhamos acabado de fazer catorze.

Nós? Mas antes que eu possa perguntar, ela responde isso também.

— Gêmeas — ela diz.

Merda.

— O que aconteceu?

— Ah, eu não conto histórias tristes — ela diz. Então ela sorri com tristeza, e é como se uma cortina descesse atrás dos seus olhos.

Certo, então. Esse é claramente um ponto sensível. Nós ficamos em silêncio por um bom tempo.

— Ah! — Ela tira do ombro a bolsa amarela que está carregando e me surpreende ao puxar uma única flor de um bolso lateral. Seus olhos estão límpidos, e ela a estende para mim como se eu tivesse pedido que ela a trouxesse.

Com cuidado, eu estendo a mão e pego a flor, inspecionando o miolo amarelo circular, as pétalas em volta perfeitamente brancas e uniformes. Essa eu conheço.

— Uma margarida? — Eu pergunto.

— Flores têm significados diferentes — ela diz, sentindo minha confusão. Ela aponta com a cabeça para a margarida na minha mão. — Essa me fez pensar em você.

— Por quê? O que ela significa? — Eu pergunto, surpreso, na verdade, por flores terem algum sentido que seja. Eu achei que elas fossem só bonitas de se ver.

— Esperança — ela diz simplesmente.

Esperança. Ela acha que eu tenho esperança? Eu não espero mais coisa nenhuma.

— Estou feliz de te ver de novo — ela acrescenta de repente, sem olhar para mim. — Eu não tinha certeza se ia acontecer.

Decido que provavelmente não deveria dizer que eu não estava planejando vê-la de novo. Só sorrio, e quase como se tivéssemos planejado, nós seguimos na direção do lago. Compramos pipoca de uma barraca e, então, andamos até o lado dela do lago, onde os patos ficam. Eles se reúnem em volta dos pés dela e olham para cima com reverência, grasnando tão alto que eu juro que eles todos devem ter minimegafones internos.

Observo ela enfiar a mão em um pacote com listras em preto e branco e jogar alguns grãos para eles, seu cabelo caindo na frente do rosto. Eu a imito, pegando um punhado da minha pipoca espalhando-as à minha frente. Os patos se juntam em volta dela como se nunca tivessem comido na vida.

— Você vem aqui com frequência? Alimentar os patos?

Ela hesita, um punhado de pipoca na mão.

— Não tanto quanto antes.

Eu movimento a cabeça como quem compreende, mas não pergunto a razão. Eu sei como é deixar de fazer coisas que você amava.

Um pato agarra a pipoca nos dedos dela e ela dá um gritinho, quebrando a tensão com uma risada. Ela dá um salto para trás e solta o grão antes que ele coma seu mindinho. O ombro dela esbarra no meu braço, com leveza suficiente para deixar uma trilha de arrepios para trás.

Eu pigarreio e dou um passo para trás.

Nós seguimos os patos até a água, seus grasnados mostrando o caminho. A alguns passos da margem, Marley se detém e olha para cima, sua mão imóvel acima dos grãos.

— Vai chover — ela diz, pensativa, sua cabeça inclinada para trás para ver as nuvens pesadas e escuras acima de nós.

Eu sigo o olhar dela, assentindo. Algo no céu me faz lembrar da noite da festa de formatura. O mesmo cinza agourento, as nuvens densas de chuva.

Mais uma vez sou atingido pela sensação de que eu não deveria estar aqui.

— Kim sempre gostou de chuva — eu digo, sacudindo a cabeça para a ironia doentia de tudo isso.

Quando desvio o olhar, noto uma borboleta azul flutuando acima do lago escuro, suas asas fazendo esforço para bater.

Algo está definitivamente errado com ela. Ela está voando, mas quase não consegue. Ela se move na nossa direção com dificuldade, chegando cada vez mais perto da água com cada movimento das asas.

— Kim — Marley diz. Ouvir o nome dela na voz de Marley faz minha cicatriz latejar de forma desconfortável. — O túmulo que você sempre visita — Marley continua. — Ela era mais que uma amiga, não era?

— Sim — eu digo, e uma avalanche de memórias desliza para cima de mim. Eu consigo sentir minha mão na dela enquanto ela me puxava pelo corredor vazio da escola na festa do terceiro ano. Vejo ela correndo pelo campo de futebol depois de eu ter feito o passe que ganhou o jogo. Sinto os lábios dela nos meus daquela primeira vez, quando ela encontrou minha mensagem em seu diário. — Ela era mais.

Eu me lembro da dor que vi nos olhos de Marley mais cedo. Algo me diz que posso falar com ela sobre essas coisas, que ela poderia entender de uma forma que a minha mãe e até mesmo Sam não parecem conseguir. Mas eu nem sei por onde começar.

Então eu volto para a borboleta e a observo chegar cada vez mais perto da margem. Quase... Quase...

— Kimberly não sobreviveu — eu digo, me forçando a tentar falar sobre isso, mas eu mantenho meus olhos fixos nas asas azuis da borboleta.

Elas cedem e a borboleta cai sobre a superfície da água, tão perto da margem, mas ainda não o suficiente. Ela tem um espasmo, lutando contra a corrente. Eu corro para a beira do lago e pego o inseto na mão com cuidado.

Olho para a água. Algo não está certo. Olho mais de perto e percebo que... não me vejo. Tudo o que vejo são os galhos acima da minha cabeça, o contorno das folhas. O cinza de tempestade das nuvens no céu acima delas.

Franzindo a testa, eu me aproximo.

Ali está até mesmo a borboleta, mas não... eu.

Como se eu não tivesse um reflexo.

Engulo em seco e tento me recompor enquanto a dor familiar desabrocha na minha cabeça. Eu luto para me manter presente, não deixar que meu cérebro ferrado tome conta, e então as palavras do bilhete da dra. Benefield surgem na minha mente:

Relaxe. Isso não está acontecendo de verdade.

Então foco no meu coração batendo no peito, minhas costelas subindo e descendo em volta dele, a borboleta se debatendo na palma de minha mão.

Outro reflexo aparece na água. É Marley, com uma expressão preocupada. Eu olho para ela rapidamente e a borboleta decola, ainda com dificuldade, mas se movendo.

— Pobrezinha — Marley diz enquanto a observa ir embora.

Olho de volta para a água, prendendo a respiração, e dessa vez meus olhos me encaram de volta, escuros e apavorados. Imediatamente me sinto um idiota. Provavelmente pareceu que eu estava surtando por causa de uma borboleta.

Esses espasmos cerebrais estão ficando mais esquisitos, em vez de melhorar. Eu ergo a mão para tocar minha cicatriz, mas disfarço passando os dedos casualmente pelo meu cabelo. A dra. Benefield disse que isso acontece porque estou me protegendo. Talvez tenha sido porque eu estava falando sobre o acidente.

Marley se inclina por cima do meu ombro para olhar meu reflexo na água. E claro que ele está bem ali, olhando de volta para nós, como deveria ser.

O cabelo dela cai por cima do meu braço quando ela se aproxima ainda mais, o que faz minha pele se arrepiar.

— Com essa cicatriz, você parece o Harry Potter. Sem ela você seria praticamente um príncipe encantado ou coisa assim.

Todos os pensamentos sobre minha lesão somem por que... *príncipe encantado?*

— Ah, não — eu rio. — É esse tipo de conto de fadas que você escreve? Você está enchendo a cabeça das crianças com esse tipo de besteira?

Se eu aprendi alguma coisa depois do que aconteceu com Kim é que eu definitivamente não sou um príncipe. E o amor não é um conto de fadas, não importa o quanto a história pareça perfeita. Não acredito mais nisso.

Nossos reflexos na água ficam borrados quando começa a chover e as gotas pesadas agitam a superfície do lago.

— Eu espero que não seja besteira — ela diz em uma voz baixa. — Espero que exista algo melhor no futuro para se acreditar.

Ela ergue o rosto para o céu. Eu observo o rosado dos seus lábios, o seu rosto aberto para a chuva. Neste momento eu quero contar tudo. Porque embora pareça impossível depois de tudo que aconteceu, eu também quero acreditar que existe algo melhor no futuro.

Mas a chuva começa a cair forte demais, e antes que eu consiga me decidir nós precisamos ir embora.

À noite eu me sento na mesa da cozinha para jantar e fico enrolando e desenrolando o espaguete do meu garfo. Meu cabelo ainda está molhado por ter voltado para casa na chuva.

— Bom — minha mãe diz, me examinando com a visão raio-x que todas as mães têm —, ela parece ser uma menina legal. — Ela dá uma mordida barulhenta em seu pão de alho.

Fui idiota de contar para minha mãe sobre Marley quando cheguei em casa ensopado e segurando uma margarida. Ela me perguntou de onde eu a tinha tirado e meu cérebro confuso não conseguiu pensar em nenhum outro motivo para eu estar segurando uma flor.

Percebo agora que qualquer desculpa teria sido melhor do que contar a verdade.

Eu seguro o garfo com mais força enquanto ela insiste em detalhes.

— Eu mal a conheço — digo, espetando outro punhado de espaguete. — Não faça disso um caso, o.k.? É só que… é fácil estar com ela. Ela… entende o que eu estou passando.

— Eu sacudo a cabeça. Não é como se eu a tivesse conhecido no parque ou no shopping. Era um cemitério. E não qualquer cemitério. Foi bem no meio do cemitério em que Kim está enterrada. — Mas, quer dizer… Merda.

Nós nos encaramos e ela lê minha mente com mais um de seus poderes místicos de mãe.

— Kim iria querer que você fosse feliz.

— Mãe, eu disse a ela que a amaria pra sempre. Até mesmo só ser amigo de alguém novo parece errado.

— Isso não é muito justo com você, não é? — Ela pergunta.

Deixo que meu garfo caia no prato.

— Como você pode dizer isso?

Não é muito justo? O que não é justo é que a vida de Kim tenha sido tirada por causa de uma briga e uma tempestade. O mínimo que eu posso fazer é manter essa promessa.

— Kyle — ela diz com calma, ignorando minha explosão, como ela sempre faz ultimamente. — Eu só quis dizer que você ainda tem muita vida pra viver. Você nunca sabe...

— Não — eu digo enquanto me afasto da mesa e me levanto, fazendo as pernas da cadeira rangerem alto contra o piso. — Eu sei. Kim era a única pra mim. E sou eu que não estou sendo justo com ela.

Com isso, eu desço as escadas para o meu quarto e as coisas ganham uma nova clareza.

Se eu não consigo ir ao cemitério só por Kim, eu preciso parar de ir.

Eu preciso parar de ver Marley.

11

Uma semana depois, vou ao cemitério para dizer a Marley que não posso mais vê-la. O dia quente de outono me guia pelas trilhas sinuosas do parque enquanto eu a procuro em cada curva, por trás de cada árvore.

Ela provavelmente vai achar que eu sou um doido, já que estou indo encontrá-la só para dizer que vou ignorá-la a partir de agora. Quer dizer, o que eu vou falar? "Olha, se você encontrar comigo no túmulo da minha namorada morta, não espere que eu fale com você"?

Eu reviro os olhos, embora seja exatamente isso que eu vá dizer. Porque parece que é isso que eu preciso fazer para ser correto com Kim.

Meus pensamentos voltam para a briga com a minha mãe na semana passada, frustração e culpa pesando no meu estômago.

Ultimamente ela tem agido como se fosse um disco arranhado. *Você precisa seguir em frente. Pare de se agarrar ao passado.*

Eu tentei falar com Sam sobre isso durante as caminhadas--corridas que começamos a fazer toda sexta, mas não adianta.

Ele diz que é para eu não me prender ao passado e só manter a memória dela viva. Eles estão sempre tentando me dizer o que eu deveria fazer e como eu deveria me curar, mas sem se darem ao trabalho de me passar detalhes úteis para fazer isso.

Respiro fundo, tentando afastar o sentimento de estar preso. Preso em algum lugar entre Kim, Sam e minha mãe, incapaz de cruzar a linha de partida.

Uma camiseta com listras em branco e amarelo chama minha atenção, linhas finas o suficiente para que as duas cores se misturem.

Marley.

Ela está parada perto de uma enorme cerejeira, seu cabelo comprido flutuando na brisa e dançando em volta dos seus ombros, chegando até o meio das costas.

Eu a observo se levantar para partir com cuidado um galho da árvore. Algo em seu movimento me é familiar, apesar de eu mal a conhecer. Ela cheira o cacho de pequenas flores cor-de-rosa na ponta do galho, seu rosto profundamente concentrado.

Eu me pego tentando entender o que ela está fazendo antes de me lembrar a razão de eu estar aqui. Talvez eu só devesse deixar para o acaso. Ela ainda não me viu. Eu começo a me virar para ir embora.

— Você decidiu que não quer mais me ver — uma voz diz, roubando as palavras da minha cabeça. Eu me viro e vejo Marley me examinando, sem a expressão serena de antes.

Eu paro. *Como ela...?* Não importa.

Eu olho para o galho de cerejeira nas mãos dela enquanto evito a pergunta.

— O que essa significa?

— O que você quer que signifique? — Ela questiona, devolvendo para mim. A pergunta me pega de surpresa.

Ela é a primeira pessoa a me perguntar algo assim em um bom tempo.

Um novo começo. Eu seguro as palavras quando elas estão prestes a sair, a resposta subitamente bem diante de mim. Um caminho para a frente que não pareça errado.

— Eu não... eu não sei — eu acabo dizendo.

Eu deveria encerrar a conversa e me despedir.

Mas não consigo. Os olhos dela não compram minha resposta. Eles me mantêm no lugar, os riscos verdes acesos no sol da manhã, da mesma cor da grama perto do lago. Do lado de Marley do lago.

— Eu quero... — eu começo a dizer, observando as flores da cerejeira começarem a balançar de leve. Algumas pétalas caem no chão em uma pequena cascata.

Diga logo.

Mas eu não consigo. Porque há algo no rosto dela. A coisa exata pela qual eu venho procurando. A coisa sem nome que nós dois entendemos.

— Eu quero... uma amiga — eu digo, minhas próprias palavras me surpreendendo. — Alguém que não me conhecia antes disso tudo acontecer. Alguém com quem eu possa ser eu mesmo, o eu que estou me tornando. Não quem eu era. Quem eu quero ser.

— Nós todos queremos isso, não? — Ela diz, assentindo da forma que fazemos quando alguém diz exatamente o que pensamos.

Mas eu preciso colocar um limite. Por mim. Por Kim.

— Mas isso é tudo que posso ser. Só um amigo.

Ela morde o lábio e assente. Algo parecido com alívio se assenta nos ombros dela. Como se fosse um meio termo seguro para ela também.

— Definitivamente. Só amigos. Mais nada.

Então ela se ilumina e estende o galho de cerejeira para mim. Eu o pego, soltando uma pequena risada.

— Então... o que significa? De verdade? — Eu pergunto para ela.

— Flores de cerejeira? Significam renovação, um novo começo — ela diz.

As palavras dela fazem um arrepio subir pelos meus braços. Outra rajada de vento puxa as flores de cerejeira da árvore atrás de nós e sacode o galho na minha mão. Os olhos dela estão brilhantes quando ela sorri por trás do cacho de pétalas brancas e cor-de-rosa enquanto a luz do sol reluz nas árvores em volta dela.

Mais tarde, quando volto para casa, eu tiro minha jaqueta e encontro uma pétala de flor de cerejeira presa na manga. Eu a pego e a seguro na palma da mão. A cor sempre me fez pensar em Kim no baile de formatura, usando um vestido do mesmo tom de rosa pálido. Eu disse isso a Marley mais cedo quando nos sentamos sob a cerejeira e ela assentiu, com o rosto pensativo.

A irmã dela também gostava de rosa. Por isso ela tinha parado na cerejeira.

Até aquele momento, eu tinha guardado todas as lembranças de Kim para mim, mas falar delas com Marley de alguma forma tornou a recordação menos dolorida. Fazia meses que eu não me sentia confortável assim com alguém.

Isso não é como eu imaginei que seriam as coisas com Marley.

Chuto meus sapatos para longe e me enfio na cama suspirando fundo, puxando as cobertas acima da cabeça.

Uma parte de mim se sente fraca, como se eu tivesse traído Kim para poder me sentir melhor, mas a culpa não me consome mais como antes.

Frustrado, eu me viro de lado. Não sei mais o que é a coisa certa.

Não sei mais de nada.

Encaro a escuridão embaixo da coberta, deixando que ela me envolva. Não sei quanto tempo fico ali, mas por fim sou acordado pelo som do telefone tocando, o pôr do sol do lado de fora da minha janela agora substituído pela escuridão da noite.

Meio atordoado, eu tateio pela minha mesa de cabeceira até meus dedos finalmente encontrarem meu celular. Deve ser Sam.

Olho para ele e fico surpreso de ver a tela preta. Não há nenhuma ligação, mas o toque não para. Se não é meu telefone, então de onde vem?

Então me sento, tentando entender.

Eu não tenho um telefone fixo no quarto. O telefone da casa fica lá em cima e o celular da minha mãe deve estar com ela. Ainda assim, um telefone toca em algum lugar por aqui.

Uma onda de pavor me toma quando meu olhar recai na bolsa de Kimberly que está em cima da minha escrivaninha. Não é possível. Eu vou até lá, meu coração martelando alto no peito. O toque definitivamente vem dali de dentro. Eu abro a bolsa com tudo. O celular de Kimberly, com sua capinha azul de glitter, está no fundo, a tela piscando com as palavras NÚMERO DESCONHECIDO enquanto toca. Isso é impossível. O celular de Kim nunca estava carregado. Como ele passou meses ligado?

Ele continua tocando.

Hesitante, eu toco o ícone verde e o levo até o ouvido.

— Alô?

O celular estala ruidosamente e ouço o som de vozes distantes através da estática.

— Consegue… ouvir? Não… precisa…

— Quem é? — Eu pergunto, apertando o celular contra a orelha, me esforçando para escutar. Mas a ligação cai repentinamente. Eu afasto o aparelho e vejo a tela escura. Aperto o botão de ligar com o máximo de força que posso, mas o celular não liga. A bateria acabou.

Volto para a cama mancando, tiro o cabo do meu celular e coloco no de Kimberly.

Em seguida, puxo a cadeira da minha escrivaninha e desabo nela, encarando o celular enquanto ele carrega, o símbolo da bateria com uma linha vermelha piscando. Eu me inclino sobre a minha mesinha de cabeceira e observo. Quem fez essa ligação?

Eu espero e espero, mas o celular se recusa a ligar de volta. Meus olhos começam a pesar. Eu me lembro de ter infernizado Kim para comprar um celular novo, um que carregasse de verdade, mas ela não teve tempo. Então eu me sento e espero.

Acordo assustado, notando que estou na cama com as cobertas apertadas no meu corpo.

Não me lembro de ter deitado.

Frustrado comigo mesmo, eu me viro de lado para pegar o celular de Kimberly, tateando a mesinha de cabeceira. Não consigo encontrá-lo em lugar nenhum.

Será que eu o derrubei quando me deitei?

Inclino para olhar o chão, mas o sangue sobe para minha cabeça e faz minha cicatriz latejar de dor. Nota mental: meu cérebro ainda não está pronto para um mergulho de cabeça.

Não tem nada no chão.

Quer dizer, tem umas embalagens de *pop-tarts*, mas nada de celular.

Levanto da cama procurando a bolsa dela na minha escrivaninha. Mas... não está lá. O lugar em que ela estava na noite passada está vazio.

Isso não faz nenhum sentido.

Lentamente, me viro na direção do armário. Pensando bem, o que não faz sentido é que a bolsa estivesse na mesa. Ela nunca esteve na minha mesa. Ela ainda está...

Abro a porta do armário e foco imediatamente na caixa enfiada no canto, onde sempre esteve.

Ergo a tampa e vejo o sapato, o globo espelhado e...

A bolsa e o celular dentro, sua tela escura e silenciosa.

12

— **Isso não aconteceu.** É só a sua cabeça. — Sam me diz em nossa corrida na manhã seguinte, esforçando-se para acompanhar meu ritmo apavorado, que está chegando perto do de um maratonista olímpico, mesmo com a minha perna ainda sem funcionar totalmente.

No nosso primeiro quilômetro na pista eu contei a ele sobre o celular, a ligação desconhecida, a voz embargada, me esforçando para conseguir explicar o que aconteceu na noite passada.

Ele sempre foi o mais racional de nós. Talvez ele me ajude a achar sentido nisso.

— Sam, eu o ouvi tocando. Eu escutei alguém falando. Eu podia te contar todos os detalhes. Não pareceu um sonho.

Minhas pernas cedem e eu paro abruptamente. Minhas mãos agarram meus joelhos e eu me esforço para recuperar o fôlego enquanto borrões surgem diante dos meus olhos.

— Eu não disse que você estava sonhando, cara — Sam diz quando para ao meu lado. — Mas você teve uma lesão cerebral.

— Por que isso ainda está acontecendo? Eu estou fazendo tudo que a médica mandou. Tomando os remédios, fazendo os exercícios de memória, me mantendo ativo. Mas toda vez que eu me viro, eu a vejo — digo, frustrado. Eu me endireito, olhando-o nos olhos. — Ela nem queria ficar comigo, e agora ela não me deixa em paz?

Eu não sei quem fica mais chocado com essas palavras. De onde veio *isso*?

Sam só me olha com uma expressão inescrutável.

A culpa borbulha de volta, mas parte de mim não consegue não ver alguma verdade no que eu acabei de dizer. Kimberly disse que não queria mais ficar comigo e, ainda assim, no minuto que eu relaxo um pouco, lá está ela, assombrando cada dor de cabeça, cada espasmo dolorido. Cada memória do acidente. Cada pensamento sobre o futuro.

Eu estou dando o meu melhor para ficar sozinho e fazer o que ela queria que eu fizesse. Por que ela não me deixa?

— E se isso nunca sarar? — eu pergunto enquanto cutuco minha cicatriz com raiva. — Eu vou continuar vendo e ouvindo coisas até enlouquecer? Dói demais vê-la. Achar que ela está lá.

— Dói em *você*? — Sam desdenha, me olhando de volta. — Já te ocorreu que você não é o único sofrendo, Kyle? — Eu noto agora quão tensos estão os ombros dele. — Eu mataria para vê-la de novo.

— Sam, eu...

— Você por acaso se deu ao trabalho de saber como eu me sinto? Saber se eu estou bem? — Ele pergunta. — Você só consegue me ligar quando *você* tem um problema. Você nunca quer conversar, a menos que seja sobre você.

Ouvir isso faz com que eu me sinta um merda, mas, ao mesmo tempo, era diferente para ele. Eu que estava lá naquela noite. Eu que estava dirigindo o carro no qual *minha namorada* morreu.

Nós nos encaramos por um longo momento, anos de amizade lutando contra esses últimos meses fodidos.

— Ela era minha amiga também — ele diz em voz baixa.

— Ela também era especial pra mim.

— Me desculpa, Sam. Eu sei que ela era — eu digo. Respiro fundo e olho para a pista além dele. — Eu tenho sido um amigo de merda. Eu... eu não sei o que estou fazendo.

Ele dá de ombros e solta um longo suspiro.

— Nem eu, cara. É por isso que não podemos perder um ao outro — ele diz, me dando um tapinha no ombro bom. — A única coisa que está te deixando louco é você. Você teve um pesadelo. Deixa pra lá.

Eu quero dizer a ele que não é tão simples.

— Tudo bem — eu digo em vez disso, concordando com ele. Eu não posso perdê-lo também. — Vamos lá. — Eu coloco um sorriso no meu rosto e aponto com a cabeça para a pista. — Essas voltas não vão correr sozinhas.

Mais tarde, no banho, acontece de novo. Embaixo da água corrente, volto para a tempestade da noite do acidente. Eu vejo o rosto de Kimberly bem na minha frente, como no estacionamento do hotel, o cabelo dela ensopado.

Fecho os olhos, respiro fundo e, quando os abro, ela se foi. Mas a memória daquela noite fica.

Quando eu saio do chuveiro e limpo o vapor do espelho do banheiro, eu tenho um flashback: minha mão limpando o embaçado do vidro.

Relaxa. Não está acontecendo.

Eu repito isso várias vezes, do jeito que a dra. Benefield me disse para fazer, até a dor na minha cabeça ceder. Afasto meu cabelo para ver a cicatriz no espelho: a pele está sarando bem, mas a coloração ainda é um cor-de-rosa frágil. Eu a acompanho com o dedo, tentando me convencer de que o cérebro e o coração não são como a pele. Eles levam mais tempo para sarar.

Mas eles nunca vão sarar se eu continuar achando que o que vejo é verdade. Eu penso na minha conversa com Marley. Pela primeira vez, em meses, eu consegui falar de Kim. Da Kim verdadeira, não da que meu cérebro confuso fica criando. Como eu posso fazer meu cérebro focar na Kim de verdade em vez de imaginar o fantasma dela em todo canto? Meu reflexo não tem uma resposta.

Mas eu sei de uma coisa que eu posso consertar.

Eu puxo meu cabelo. Ele precisa de um corte. Está parecendo que faço parte do elenco de uma reconstrução da Guerra de Independência e vou atuar como um primo do George Washington.

Isso sim seria um pesadelo.

13

Marley se aproxima de mim, examinando a cicatriz, três dias depois da minha última visão e do meu primeiro corte de cabelo em três meses. A marca está bem visível agora, e quando Marley se inclina na minha direção eu tento me distrair encarando a grama, ou as árvores, ou as pessoas passeando no parque. Então... ela ergue a mão para tocá-la, seus dedos mal encostando na minha pele. Ela o faz com tanta suavidade que causa uma sensação eletrizante.

É estranho, é como se meu corpo estivesse acordando.

— O que aconteceu? — Ela tira a mão e percebo que estava segurando a respiração esse tempo todo.

— Eu não conto histórias tristes — digo, provocando-a.

Ela ergue as sobrancelhas, me desafiando.

— Ah, é assim que vai ser? Só vai contar se eu contar?

Eu silencio, porque percebo que o que está acontecendo é exatamente o contrário do que eu quero. Eu quero contar a ela. Sobre o acidente. Sobre Kim. Ela é a primeira pessoa com quem eu quis conversar disso tudo.

— Eu acho... — eu digo, mudando de posição para apoiar minhas costas na cerejeira, minha voz se perdendo. — Acho apenas que não conto histórias.

— Sim, você conta. Todos nós contamos — Marley diz, cruzando as pernas sob o corpo. — Nós estamos contando uma história agora mesmo. Decidindo como ser, o que dizer, o que fazer. — Ela põe o cabelo atrás das orelhas. — Isso é... contar uma história.

— Isso é viver.

— O.k., então a história de vida de alguém não é realmente uma história?

Ela me pegou e ela sabe disso.

— Você pode parar de estar certa? — Eu pergunto a ela, porque parece que ela está sempre certa sobre quase tudo. — Por favor?

Ela revira os olhos e me cutuca, um rubor suave aparecendo em suas bochechas.

— Você sabe qual é a melhor coisa de contar histórias? — Ela pergunta.

Eu sacudo a cabeça, meus olhos ainda focados no vermelho das suas bochechas.

— O público — ela diz. — Sem uma audiência, um contador de histórias está só falando com o ar, mas quando alguém está ouvindo...

— Ah — eu digo. — Então você está dizendo que é uma boa ouvinte.

Ela inclina a cabeça e dá de ombros, como se não fosse nenhuma surpresa.

— Sou. E eu adoraria ouvir sua história. Se você quiser me contar.

Pela primeira vez, eu acho que talvez consiga.

— Deus. — Eu suspiro, tentando achar um bom ponto de partida. — Por onde eu começo?

— Comece do começo — ela diz enquanto se apoia na árvore, seu ombro encostando no meu.

Eu olho para ela. *O começo?* Ela quer ficar aqui até o Natal? Embora eu ache que não tenho mesmo planos até lá.

— O.k. — ela diz, erguendo uma sobrancelha. — Que tal do meio? Dois terços?

Eu rio, tentando pensar qual seria um bom começo. O começo *certo*.

— Que tal…? — Eu digo, imaginando a forma como o lábio inferior de Kimberly se projetava para a frente quando ela queria algo de mim. — Que tal eu começar falando da Kim?

Então eu conto a ela. Conto de nós dois brigando pelo mesmo balanço no recreio e Sam oferecendo o dele para pararmos de brigar. De juntar coragem para escrever "Eu ♡ vc" no diário dela no ensino fundamental. Eu conto a ela como eu e Kim matávamos aula todo ano no nosso aniversário de namoro e fazíamos uma pequena viagem de carro para um lugar surpresa que ela tinha escolhido com antecedência. A praia, o aquário, um parque nacional. Ela sempre levava os melhores lanches e fazia a playlist perfeita para o caminho.

Todas as primeiras vezes. Todos os planos. Todas as pequenas brigas e as pazes.

— Quero dizer, nós éramos perfeitos. Eu sei que éramos um clichê, a capitã das líderes de torcida e o *quarterback*. Mas nós éramos o casal que todo mundo queria ser. — Eu olho para as flores da cerejeira espalhadas a nossa volta na grama. — E mesmo quando não éramos mais, depois que eu estourei meu ombro, tudo ficou bem, porque eu ainda tinha a Kim.

Olho para Marley, mas ela não diz nada, só espera que eu prossiga com uma expressão suave e sem pressa no rosto. Então eu conto a ela sobre o fim da minha carreira no futebol americano. Quão devastado eu me senti vendo o raio--x, anos de treinos e sonhos destruídos em uma fração de segundo, Kimberly segurando minha mão na ambulância e no hospital também. Ela nunca saiu do meu lado.

— Não me entenda mal, nós também brigávamos — eu admito. Discutíamos sobre sair ou não com o time depois da minha lesão, quando eu só queria ficar em casa. Ou quando ela quis fazer uma viagem enorme para visitar várias faculdades, mas eu não quis porque eu estava certo de que já tinha conseguido uma bolsa integral na UCLA. Ou quando... Bom, nós discutíamos sobre várias coisas. — Provavelmente mais do que a maior parte dos casais. Mas eu sempre achei que era só porque nos importávamos demais.

Eu passo levemente meus calcanhares sobre a grama.

— Eu não sei. Parece tão idiota agora. Era tudo tão...

— Trivial — Marley diz, erguendo os olhos para mim e eu sei que ela entende. Ela não insiste para saber mais depois disso. Não faz as grandes perguntas, o que aconteceu com Kim, comigo. E talvez seja por isso que eu continuo falando. Eu conto tudo a ela. Da festa de formatura às visões.

Marley escuta, sem me interromper, até que minhas palavras se perdem. Os olhos dela estão pensativos enquanto ela morde seu lábio inferior, como se ela estivesse repetindo minhas palavras na sua cabeça.

— Alguma vez você já sentiu isso? — Ela pergunta, olhando para mim. — Que você estava controlando tudo?

— Não — eu digo com firmeza, mas soa falso para mim. Especialmente olhando para tudo agora. Ao contar a história inteira, algo faz todas as pequenas falhas ficarem mais visíveis. Há mais delas do que eu me lembrava, o suficiente para levar a um rompimento. — Quer dizer, não sei — eu digo finalmente. — Eu acho que talvez eu tenha me sentido meio inútil depois que perdi o futebol. Como se todo o meu futuro tivesse desaparecido. Eu acho que pensei que se ela estivesse comigo eu não ficaria sozinho. Talvez eu apenas quisesse controlar *alguma coisa*.

— Na maior parte dos dias eu *ainda* me sinto assim — ela diz, assentindo, seus olhos distantes.

Eu quero perguntar, mas não quero me intrometer. Eu sei que ela não ter me perguntado me ajudou. Eu preciso confiar que ela vai me contar quando estiver pronta.

— Você ainda quer conviver comigo, mesmo eu sendo assombrado pela minha ex-namorada? — Eu pergunto, tentando amenizar o clima.

Marley ri enquanto se senta e recolhe um punhado de pétalas de cerejeira.

— Talvez ela não esteja... — ela diz, fechando os dedos e deixando as flores caírem, uma por uma, de sua mão.

— Talvez você ainda esteja tentando se manter no controle. Tentando manter uma parte dela com você.

Eu observo as pétalas caindo suavemente no chão.

— Bem patético — eu digo, sacudindo a cabeça — quer dizer, ela me deu um *pé na bunda*.

— Eu sinto muito, mas... — Marley diz e eu ergo os olhos e vejo um sorriso se formando nos lábios dela. — Quer dizer... Kim... Sério... Que idiota.

O quê? Marley disse mesmo isso? Eu faço uma careta, mas de forma totalmente inconsciente, uma risada escapa de mim.

— Você não pode dizer isso. Ela está morta.

Eu tenho bastante certeza de que isso é uma regra social fundamental. Não podemos falar mal de pessoas mortas. A menos que sejam tipo um ditador ou um serial killer.

— Bom, ela terminou com você — ela diz, levantando-se e limpando a sujeira e as folhas de grama que grudaram em sua saia amarela. — Não foi muito esperta.

As palavras dela me pegam de surpresa, mas ela não tem uma expressão de flerte. Eu acho que ela só está sendo uma boa amiga.

É bom poder falar com alguém sobre o término. Alguém que reconhece que eu levei um fora sem me fazer sentir culpado por isso.

Eu me levanto e ela olha para mim, esticando a mão para tocar de leve no meu braço, e o ponto onde os dedos dela encostam parece uma corrente de água que vibra por todo meu corpo. A expressão dela fica séria de novo.

— Eu sinto muito pela sua dor — ela diz. E não parece uma frase vazia, uma frase genérica que todo mundo repete por educação.

Parece genuína.

E é exatamente o que eu preciso ouvir. Ela não está me pressionando para eu melhorar logo. Não está julgando o que eu estou sentindo ou fazendo. Ela só me deixa sentir.

— Não dói mais tanto quanto antes — eu respondo, surpreso ao perceber que é verdade.

Depois de um tempo nós damos uma volta no parque. Algumas folhas nas árvores já estão mudando de cor para o laranja, o vermelho e o amarelo. Algumas se soltam dos galhos e caem na nossa frente, e nossos pés as esmagam fazendo barulho.

Marley tira de sua bolsa um pacote de pipoca vermelho e branco que já está pela metade, sobras de uma expedição anterior ao lago. Ela o entrega para mim. Eu pego um punhado, enfiando algumas na boca.

— Você tem sonhos fora de tudo isso? Fora o futebol? A UCLA? — Ela pergunta. Nossos ombros quase se tocam enquanto andamos, como se uma barreira invisível entre nós tivesse desaparecido.

Engulo em seco, olhando para o lago que aparece por entre as árvores. É o que minha mãe vem tentando me perguntar. A pergunta para a qual eu não tenho uma resposta.

— Eu não sei. O futebol sempre foi minha primeira escolha. Mas como isso caiu por terra e como meus planos com Kim também..., — eu digo, dando de ombros. — Não sei bem por onde começar.

— O que você quer? — Ela pergunta. — Não Kim. Não Sam. Não sua mãe. *Você.*

Eu respiro fundo e digo a primeira coisa que me vem à cabeça, sem nenhum filtro.

— Eu acho que agora eu só quero ser. Eu não quero ir para a UCLA e fingir que sei o que quero. Mas eu também não quero ir pra nenhum outro lugar.

— Eu entendo isso, mas você não precisa ir embora pra começar a pensar no que quer. Só porque você não pode mais jogar, isso não significa que você não pode fazer algo relacionado ao futebol — ela diz, alguns grãos de pipoca desaparecendo dentro de sua boca.

— Tipo o quê?

Ela mastiga, pensativa.

— Técnico?

Eu considero isso por um minuto, mas a ideia de ficar no banco ainda parece dolorida.

— Eu não tenho certeza sobre ser técnico. Mas... quer dizer, eles me pediram para escrever alguns artigos sobre futebol para o jornal da escola já que eu precisava ir aos jogos de qualquer forma. Eu gostava de fazer isso e acho que ficaram bem bons. Mas eu não acho que alguém chegou a lê-los.

— Você devia tentar — Marley diz, empolgada. — Ser um escritor. Ou um jornalista. Assim *nós dois* contaríamos histórias.

Eu sorrio, o entusiasmo dela é contagioso. Eu tento imaginar isso. Meu nome impresso em algo maior do que o jornal do Ambrose. Dando aos times a cobertura que eles merecem em vez de um caça-clique vagabundo.

— Eles nunca se vão de verdade, você sabe — ela diz de repente, parando no meio do caminho. Eu me viro e vejo que o rosto dela ficou sério outra vez. — Nós os guardamos conosco, assim como você e o futebol. Eles ainda são parte da nossa vida.

Ainda são parte da nossa vida. Isso é tudo que eu queria saber desde o acidente. Encontrar um jeito de viver sem deixar Kim para trás.

Meus dedos roçam inesperadamente na mão de Marley e eu me afasto imediatamente. A sensação é ao mesmo tempo estranha e familiar.

Enfio minhas mãos nos bolsos e nós andamos em silêncio por um tempo, mas não daquela forma penosa em que você fica desesperadamente tentando pensar em algo para preencher o silêncio. Na verdade isso é gostoso. Confortável.

— Obrigado, Marley — eu digo enquanto viramos uma curva no parque, os carvalhos altos se erguendo em direção ao céu.

— Pelo quê?

Eu dou de ombros, sem saber como expressar minha gratidão em palavras. Por ser fácil de conversar com ela? Por compreender?

— Não tem sido fácil pra mim conversar com ninguém desde...

Ela assente, como quem já sabe. Claro que ela sabe.

— Você acha que vai voltar amanhã? — Marley pergunta.

— Na verdade, hum... — Minha voz se perde, meu cérebro tentando se recompor e formar uma frase coerente. — Eu pensei que talvez pudéssemos sair do parque por uma noite. Jantar na minha casa na sexta? Como um agradecimento. — Eu dou a ela um grande sorriso enquanto tento melhorar a oferta. — Eu cozinho alguma coisa.

Marley me olha de lado.

— E você sabe cozinhar?

— Claro que eu sei — eu digo, fingindo estar ofendido. — Sou fanático por *pizza rolls*.

14

— **Muito bem** — **minha mãe diz,** pegando um carrinho de compras com uma expressão determinada no rosto. — Dividir para conquistar. Você pega a costela e um pouco de peru na seção de frios, eu pego os vegetais e nos encontramos no caixa em dez minutos. Combinado?

Eu movimento a cabeça, concordando, enquanto olho para o carrinho.

— Você vai usar um carrinho inteiro só pra pegar um saco pequeno de batatas?

Ela me fuzila com o olhar.

— Talvez eu pegue outras coisas. Vou ver aonde o vento me leva.

— "Vou ver aonde o *vento* me leva" — eu repito, rindo e sacudindo a cabeça. Típico. — Talvez o vento *me* leve para o corredor de sobremesas! — Eu grito por cima do ombro e ouço sua risada sarcástica atrás de mim.

Caminho na direção do balcão de carnes e compro dois filés de costela recém cortados. Marley e eu combinamos o jantar para amanhã às seis horas. Eu vou fazer a receita secreta da família da minha mãe, a qual... definitivamente pode dar em qualquer coisa. Vai ser bom passarmos um tempo juntos em outro lugar que não seja o parque. É isso que eu digo para mim mesmo, pelo menos. Eu não quero pensar que esse convite repentino seja qualquer outra coisa além de uma mudança de cenário.

Eu vou até o balcão de frios onde eu pego uma senha e espero atrás de uma senhora comprando dois quilos de queijo prato. Ela vai ter uma bela noite.

Enquanto espero, eu tomo um Tylenol para evitar o retorno da dor de cabeça insistente que tive o dia todo. Eu estou descobrindo como gerenciar a dor, mas em alguns dias eu não consigo me entender com ela.

— Senhor?

Eu ergo os olhos e noto que o atendente está falando comigo. Ele limpa as mãos em um pano e repete a pergunta.

— O que o senhor deseja?

— Desculpa — eu digo me aproximando da vitrine.

— Duzentos e cinquenta gramas de peru, por favor, cortado fino.

— É pra já — ele diz, vestindo luvas novas. Eu o vejo pegar a peça de peru e colocá-la no fatiador numa batida seca.

— Kyle? — Uma voz diz atrás de mim.

Eu me viro, mas só vejo um corredor vazio de supermercado. A luz se reflete em garrafas de refrigerante e latas de alumínio. Ah, não. Não agora. Eu desejo que o Tylenol faça efeito logo enquanto volto a olhar para o atendente. Ele ergue os braços para operar a máquina, sua sombra se move na parede atrás dele.

Mas...

Eles não estão sincronizados. Meus olhos alternam entre o homem e a sombra e os movimentos da silhueta estão um segundo mais rápidos.

Ele se inclina por cima da máquina logo depois de sua sombra, mas agora há um cabelo comprido pairando por cima do ombro da silhueta.

Eu dou um passo à frente, confuso. A altura e o formato da sombra se tornam, de repente, impressionantemente familiares para mim. Familiares até demais.

Kimberly.

Eu vejo a lâmina girar, mas o som não está certo. Em vez do metal zunindo, eu ouço um som mole e estranho.

Relaxe. Isso não é real. Isso NÃO *É real.*

Eu penso no que Marley disse, sobre como estou tentando controlar as coisas. Tentando manter uma parte dela aqui.

O braço da sombra se estica de novo na direção do fatiador e eu fecho os olhos, focado nisso. *É coisa da minha cabeça, é coisa...* Eu dou um salto quando uma mão toca meu pescoço.

— Que raios... — eu me viro e dou de cara com a minha mãe com a mão ainda erguida no ar.

— Desculpa — ela diz, estudando meu rosto. — Eu achei que você tivesse me ouvido.

Olho de volta para o atendente e o vejo cortando uma fatia normal, com sua sombra normal.

Já faz quase uma semana desde a minha última visão esquisita. Estou irritado comigo mesmo.

— Você está bem? — minha mãe pergunta, sentindo minha testa. Ela melhorou em me dar espaço para entender as coisas depois que eu parei de passar vinte e três das vinte e quatro horas do dia na cama, mas isso ainda não a impede de me cutucar e remexer ao primeiro sinal de uma dor de cabeça.

— Sim — eu digo enquanto o atendente embala a carne no balcão. Eu pego o pacote e coloco no carrinho lotado ao som das batidas secas. — É que minha cabeça está me incomodando hoje. Nada novo.

Sinto que ela continua me olhando, então tento acalmá-la de novo.

— Nada que um Tylenol e um pouco de comida não consertem. — Eu olho para a pilha de compras no carrinho, torcendo para que o saco de batatas esteja enfiado em algum lugar no fundo. — Pra onde o vento te levou?

Ela timidamente dá de ombros e ergue um pote de sorvete, o que faz nós dois rirmos enquanto vamos para o caixa.

Exatamente vinte e quatro horas mais tarde, eu estou *completamente* perdido. O filé? Parece ótimo. Os legumes? No vapor. O molho béarnaise feito com a receita da minha mãe?

Uma catástrofe.

Eu estou cercado por duas caixas de ovos vazias, cascas e gema sujando todo o balcão e pela milésima vez o molho fica empelotado.

Por que isso está acontecendo?

Minha mãe faz parecer tão fácil.

Eu olho para o relógio e fico um pouco em pânico quando noto que são 17h45. Eu só tenho mais quinze minutos para acertar esse molho, esquentar tudo e provavelmente trocar de camiseta, já que eu suei essa inteira tentando fazer essa droga de molho sofisticado.

Depois de ver trechos estratégicos de um tutorial no You-Tube, finalmente percebo que o fogo esteve alto demais esse tempo todo. Eu passo o olho pela décima terceira vez na receita que minha mãe escreveu à mão, e ela não fala nada sobre a temperatura. Então eu jogo o papel no balcão e, quando olho novamente para ele percebo uma pequena anotação no verso: *abaixe o fogo antes dos ovos.*

Ótimo. Que ótimo.

Agora, usando o fogo baixo, bato as gemas e misturo à manteiga – meu pulso já gritando – e o molho fica aveludado em vez de uma meleca empelotada.

— Puta merda, consegui — eu digo, respirando aliviado enquanto provo. Cremoso. Perfeito. Então adiciono uma pitada de sal só por segurança.

Eu arrumo rapidamente a mesa, dobro os guardanapos embaixo dos talheres e até coloco flores no centro.

Um ramo de cerejeira.

Mais cedo fui até o parque para garantir que elas estivessem presentes nesse jantar, então algumas das flores já estão meio murchas.

Enquanto os filés ficam prontos, eu despejo o molho em pequenos ramequins em vez de por cima da carne, já que Marley é exigente quanto ao uso de molhos. O segundo ramequim demora um tempo enorme para encher, o molho escorre da panela em um ritmo glacial. Impaciente, eu dou um tapinha no fundo da panela e claro que tudo cai de uma vez, transbordando do ramequim e se espalhando no balcão como um deslizamento de terra.

Estou arrasando nessa coisa de cozinhar.

Com um suspiro, limpo tudo com um pano de prato, passo a carne para uma travessa e coloco tudo na mesa com tempo contado para correr lá para baixo e trocar de camisa antes da campainha tocar.

Marley.

Ajeito meu cabelo e subo os degraus, dois de cada vez, deslizo para o corredor e abro a porta.

Ela está usando uma capa de chuva amarelo-limão, a cor contrastando com o céu cinza e nublado, a chuva caindo em volta dela.

— Ei — eu digo, me inclinando casualmente no batente.

— Ei — ela diz, apertando os olhos para me ver através da chuva. Ela aponta com a cabeça para a água que cai constante. — Eu poderia, talvez... entrar?

— Ah, claro. Sim — eu digo, abrindo a porta por completo. Ela entra e tira o capuz, seu cabelo mais pesado do que de hábito por causa da chuva. Meus olhos focam em uma mexa rebelde que está tentando escapar do rabo de cavalo dela.

Eu quero colocá-la atrás da sua orelha, daquele jeito que ela sempre faz, mas em vez disso pego a jaqueta dela. Eu a penduro na maçaneta do porão para secar enquanto ela olha em volta do corredor, para todas as fotos. Ela para na minha frente, espiando escada abaixo.

— O que você tem ali embaixo? — Ela pergunta.

— Alguns cadáveres — eu brinco e ela revira os olhos, cutucando meu ombro, achando um tantinho de graça. — O meu quarto fica ali embaixo.

Ela parece intrigada.

— No porão?

— É. Eu mudei pra lá no segundo ano do ensino médio, quando minha mãe terminou de reformar — eu digo e aponto os degraus com a cabeça. — Sam e Kim costumavam entrar escondidos por uma porta ali embaixo. Dá direto no quintal.

Isso a faz sorrir, ela está definitivamente achando graça agora.

— Ah, um garoto rebelde — ela provoca.

Eu reviro os olhos.

— Pronta para o jantar?

— Estou? — Ela pergunta desconfiada, duvidando, com razão, das minhas habilidades culinárias.

Nós vamos para a cozinha e Marley sorri quando vê as flores de cerejeira na mesa, então pelo menos a minha corrida claudicante e frenética até o parque hoje de manhã valeu a pena.

Estou prestes a me sentar quando noto que esqueci de colocar água na mesa. Quando abro o armário, eu ouço uma porta de carro batendo lá fora.

— Olha, minha mãe chegou mais cedo — eu digo esticando o pescoço para olhar pela janela, vendo de relance ela tirar suas coisas do banco de trás, a chuva só uma névoa agora. Eu sabia que ela tinha um brilho malicioso nos olhos quando pedi a receita a ela na noite passada. *Claro* que ela não ia perder essa. Típico da Lydia. — Ela vai ficar tão feliz de te conhecer.

Eu saio da cozinha, vou para a entrada e, então, abro a porta para cumprimentá-la.

— Ei mãe, essa é... — Eu me viro, mas o corredor atrás de mim está vazio. Nada de Marley. A expressão animada da minha mãe fica confusa, e eu correspondo com a mesma energia.

— Um segundo — eu digo, andando de costas até a cozinha, mas a cadeira onde Marley estava sentada agora está vazia. Que raios...?

Eu paro, notando que a porta do porão está entreaberta e que a capa de chuva amarela sumiu.

— Marley? — Eu chamo enquanto abro a porta por completo, correndo escada abaixo. Eu só encontro silêncio, as portas no canto do quarto escancaradas. Eu espio o quintal em busca de uma capa de chuva amarela. — Marley!

Ainda nada.

Eu pego um moletom da minha cadeira.

— Ei, mãe! — eu grito para cima enquanto o visto — Eu já volto. — Eu corro para fora e dou a volta pela casa, apertando os olhos enquanto a procuro.

Para onde ela... o *lago.*

Eu corro sem forças para fora do bairro e tomo o caminho do lago. Quando a superfície brilhante da água entra no meu campo de visão já estou arfando; o ar depois da chuva está quente e o céu é uma mistura de tons de rosa, laranja e roxo.

Eu deslizo até parar quando vejo uma capa amarela, surpreso ao notar que há um pato sentado no colo dela.

Tipo... uma porra de pato, vivo, de verdade. Sentado. No colo dela.

Eu tiro meu moletom e vou até Marley. Eu o coloco no chão meio úmido antes de me sentar ao lado dela.

— Bom — eu digo enquanto solto o ar. — Essa é provavelmente a primeira vez que vejo alguém fazer carinho em um pato.

— Desculpa — ela diz sem olhar para mim. Seu foco continua no pato: ela acaricia suavemente as penas brancas dele enquanto, em seu rosto, as sobrancelhas estão apertadas.

— O que aconteceu? Você nem provou a comida. Quer dizer, eu não sou nenhum chef, mas não podia estar *tão* ruim.

— O pato vira a cabeça para me olhar, seus olhos pretos brilhantes me examinando. Eu me afasto um pouco, não estou atrás de briga.

Marley dá de ombros, olha para a água, e percebo o brilho familiar da dor nos olhos dela.

— Isso é parte da história triste?

Ela solta um suspiro pesado, os ombros subindo e descendo com sua respiração.

— Eu só... fiquei nervosa — ela diz enquanto afasta seu cabelo ondulado do rosto. — Sua mãe chegou em casa. Pessoas novas me deixam nervosa. Eu perco a voz. Eu nunca sei o que dizer.

Chego mais perto para cutucá-la no ombro sob a vigilância da ave.

— Você fala bastante.

— Só com você — ela diz, me olhando. — Com você é... — A voz dela se perde enquanto ela procura as palavras. — Eu não sei. É... a gente. Você sabe.

A gente. Meu coração bate com força no meu peito com essa palavra. Eu engulo em seco, observo-a colocar os dedos embaixo das asas do pássaro e dar uma coçadinha, as penas dele arrepiadas antes de se assentar alguns segundos depois. Ele esfrega o bico no braço dela, mais carinhoso do que eu sabia que patos podiam ser.

Eu cruzo as pernas uma sobre a outra e me inclino para trás, tentando ignorar a sensação que as palavras dela causaram em mim.

— Bom, me abandonar no jantar desse jeito não foi legal — eu digo, tentando ficar sério. — Eu gastei uma hora preparando aquele molho e você nem o provou.

Eu dou uma olhada de lado e vejo os olhos dela arregalados, seu rosto atordoado.

— Então — eu digo, o "a gente" ainda ecoando nos meus ouvidos. — Eu mereço uma segunda chance.

— Uma segunda chance? — ela pergunta, o pato e ela me encarando.

— Sem pais — eu digo, olhando nos olhos do pato. — Ou patos. Só nós dois.

O pato grasna em resposta, suas penas se arrepiando enquanto eu e Marley rimos.

— Só nós dois — ela diz pensativa, hesitante, até aquele sorriso tímido chegar aos seus lábios. — O.k.

Nós ficamos ali mais meia hora, observando o sol se pôr, nossas pernas quase se tocando. Depois volto para casa correndo, ainda tentando entender como me sinto a respeito de tudo isso.

Não era isso que eu esperava desta noite.

Eu pensei que ela iria zombar do molho grudento ou das minhas parcas habilidades para dobrar guardanapos. Pensei que talvez ela se abrisse e me contasse um pouco mais de sua história triste.

Mas agora eu tenho ainda mais perguntas.

A questão é... Eu sei exatamente o que ela quis dizer com "a gente". Nós simplesmente *entendemos* um ao outro. E embora isso seja algo que talvez eu não devesse admitir, eu não consigo não estar animado com a nossa segunda tentativa. Animado com *a gente*.

Eu afasto meus sentimentos confusos e desacelero quando passo pela porta da frente e entro na cozinha. Os filés ainda estão intactos na mesa, minha mãe casualmente inclinada no balcão como se ela não tivesse chegado em casa três horas antes para dar uma olhada em Marley.

— Tudo certo? — Minha mãe pergunta.

— Sim — respondo, enchendo um copo com água e dando um gole rápido. — Tudo bem. — Eu consigo sentir os olhos dela em mim, querendo saber mais. — Talvez — eu começo a dizer e ela se anima, ansiosa por mais informação.

— Talvez você possa me prometer que vai *realmente* trabalhar até tarde da próxima vez? Em vez de, você sabe, estragar meus planos.

Ela me dá um sorriso culpado antes de concordar.

— Está com fome? — Eu aponto para os pratos intocados.

Ela ri, pegando-os para esquentar.

— Morta de fome. Estava de olho neles desde que você saiu.

Nós mal começamos a comer quando ouvimos uma batida na porta dos fundos. Nós olhamos na direção dela e as dobradiças já estão rangendo com a entrada de Sam, um sorriso largo e um engradado de cerveja na mão.

Bosta.

Sam sabe que minha mãe normalmente trabalha até tarde nas sextas, mas ele não aparece assim desde antes do acidente.

— Ei — ele diz, erguendo o engradado. — Achei que a gente podia passar um tempo juntos.

Eu faço gestos frenéticos para que ele esconda as cervejas, mas é tarde demais. Seus olhos arregalam imediatamente quando vê minha mãe e ele tenta esconder as cervejas atrás do corpo, mas nada passa desapercebido por Lydia Lafferty.

Ela se levanta e tira as cervejas da mão dele, agarrando o engradado junto ao peito.

— Que educado, Sam! Como você sabia que eu adoro uma boa IPA?

— Ah, vamos lá, sra. L. — Sam diz, sorrindo e passando um braço pelo ombro dela. Sam pode conquistar qualquer um. — Eu sinto como se tivesse envelhecido três anos nos últimos três meses. E você, Kyle? Não se sente com vinte e um?

— Talvez até vinte e dois — eu digo sorrindo para ele enquanto minha mãe revira os olhos.

— Bela tentativa, meninos — ela diz, fingindo não ter achado nossa conversa pelo menos um pouco engraçada, mas eu consigo ver o canto da boca dela puxando um sorriso.

Sam suspira e despenca em uma das cadeiras da cozinha, apontando com a cabeça os restos do jantar.

— Que jantar chique — Sam diz, inclinando-se para dar sentir o cheiro do filé. — Qual a ocasião, sra. L?

— Nenhuma — minha mãe diz. Ela olha para mim, hesitante.

— O quê? Que cara é essa? — Sam pergunta com o olhar confuso.

Meu estômago se contrai. Eu sei, mesmo antes de falar qualquer coisa, que ele não vai entender.

15

Eu puxo minha mochila mais para cima dos ombros – finalmente aceitei o convite de Sam para participar do jogo de futebol no parque aos sábados. Há uns dias eu disse a ele que iria, mas depois da noite passada...

Ele está em meio a um grupo com outros caras e vejo o maxilar dele tensionar quando me vê. Quando chego mais perto, ele dá meia-volta e se afasta do grupo. Se afasta de mim.

Eu meio que desejo cair fora.

Eu vejo que no grupo estão Dave e Paul, dois caras do nosso time que ficaram na cidade e começaram a trabalhar. Eu hesito, meu estômago revirando um pouco mais. Eu nunca respondi nenhuma das mensagens deles. Eu realmente não preciso de mais gente brava comigo neste campo.

Mas essa preocupação some imediatamente quando Paul me olha bem no rosto e abre um sorriso enorme.

— Olha só quem está aqui.

Dave se vira para ver o que ele está olhando, seu cabelo loiro e comprido preso num coque.

— Lafferty! Bom te ver, cara.

— Bom te ver também — eu digo e Paul passa um braço em volta do meu ombro.

Pelo menos alguém não está puto de me ver. Eu quase consigo *sentir* a raiva passivo-agressiva de Sam irradiando na minha direção enquanto ele finge estar se alongando a alguns metros de distância.

Ele agora sabe que eu tenho me encontrado com Marley, mas eu não consigo entender por que ele está agindo de forma tão estranha por causa disso. Talvez seja porque ele foi embora da minha casa ontem sem deixar que eu explicasse.

O gelo sempre foi a estratégia de Kim, não de Sam.

— Você está com uma aparência boa — Paul diz, e Dave concorda com a cabeça.

— Está sendo difícil, mas estou voltando — eu digo, e isso é ao mesmo tempo um eufemismo e um exagero. Essa é a maior multidão que eu vejo em meses.

— Isso é ótimo, cara. Que bom que você veio — Dave diz, sorrindo, enquanto me passa a bola de futebol que estava segurando.

Eu olho para ela, rolando-a entre as mãos, e tenho a sensação de voltar para casa. Nós nos dividimos em times, o resto dos jogadores são alunos do time reserva do ano passado, agora titulares porque nós saímos.

Quando fazemos o círculo para a primeira jogada, Sam fica de lado, fazendo questão de discordar de tudo que eu digo.

Ótimo. Lá vamos nós.

Quando entramos em formação, ele esbarra em mim com um pouco de força demais para ser só um acidente.

— É tipo trocar de canal, não é?

— O quê? — Eu pergunto enquanto ele entra na linha, de costas para mim.

— Você sabe o quê.

Eu o ignoro e chamo a jogada, meus olhos o seguem pelo campo, um jogador da defesa logo atrás dele. Eu escolho lançar um passe curto para Paul para poder ganhar algumas jardas. Ele o apanha, mas é pego por outro jogador imediatamente, terminando a jogada.

Sam corre de volta, arfando.

— Nada? — Ele pergunta, arqueando as sobrancelhas em expectativa. — Você não tem *nada* a dizer? Talvez a gente devesse perguntar para a Marley o que ela acha.

Aí está. Em aberto. *Finalmente,* porra.

— Deixa pra lá, Sam — eu resmungo quando Paul me devolve a bola.

— Conselho de especialista, hein? Você com certeza sabe como deixar pra lá, não é?

Ele acabou mesmo de dizer isso?

De cara fechada, eu chamo a próxima jogada. A bola é levada até mim e Sam deve fazer um gancho para o *touchdown*. Em vez disso, ele anda pelo meio da jogada, de costas para o passe.

Que *merda* é essa?

A fúria explode no meu peito. Eu atiro a bola nele com força suficiente para fazer meu ombro repuxar, e a vejo bater na parte detrás da cabeça dele e seu pescoço chicotear para a frente. Ele vira de repente e já está correndo na minha direção antes que eu possa fugir. Ele bate de frente comigo. Eu caio no chão com força. Não com mais força do que outras milhões de vezes durante os jogos.

Mas por um segundo eu fico chocado. Eu *nunca* vi Sam assim.

— Quantas vezes a Kim terminou com você? Você sequer se lembra? — Ele diz, de pé acima de mim.

Eu me levanto, recusando a ser intimidado.

— Eu acho que você sabe. Quantas?

Ele agarra a minha gola, girando-a nos punhos com uma raiva bruta que claramente vem fervendo há um tempo.

— Sete. Sete vezes desde o nono ano...

De repente, toda a frustração que eu venho escondendo nos últimos meses estoura de uma vez. Com ele. Com o que aconteceu. Quem *raios* ele pensa que é? Como ele ousa me dizer o que sentir?

— E ela ia terminar comigo de novo, Sam! Mas ela morreu — eu digo isso empurrando-o para longe, os dedos dele soltando o tecido da minha gola. — O que eu deveria fazer? Sofrer por ela pra sempre? Parar de respirar?

— *Eu* faria isso — Sam diz, toda a raiva saindo dele, seus ombros despencando quando um peso cai sobre eles. Um peso que eu reconheço. Então... ele confirma. — Eu também a amava. Amava *de verdade*. E eu *nunca* a deixaria partir.

Nós nos encaramos, as palavras dele me deixando sem fala. Mas ele não acabou.

— Você não a merece, Kyle — ele diz em voz baixa. — Nunca mereceu.

Ele se vira e sai do campo, seus ombros largos sumindo na distância. Eu observo Sam desaparecer completamente de vista com a cabeça girando.

Sam amava Kimberly?

Então eu percebo, as peças se encaixando. A forma como ele ficava atrás dela, protetor. A forma como ele sempre ficava do lado dela. Quão ferido ele ficou depois que ela morreu.

Como eu não percebi isso? Como, nesses anos todos, eu não notei que meu melhor amigo estava apaixonado pela minha namorada?

Os outros caras agem como se não estivessem assistindo a briga. Ninguém vem até mim e eu não espero que eles o façam. Eu não sou próximo de nenhum deles faz tempo. Eu não tinha percebido até agora, mas quando saí do time, eu os deixei também.

Todo mundo, exceto Kim e Sam.

Então como eu não notei que ele a amava?

Porque eu fui egoísta.

As palavras ressoam na minha cabeça, cristalinas. Dolorosamente verdadeiras.

Tudo que eu fiz foi ver o mundo, meus amigos, minha namorada, pelos *meus* olhos. Eu nunca me dei ao trabalho de olhar pela perspectiva deles.

Nesse mesmo dia, já de noite, minha mãe vai até meu quarto e me encontra com o olhar fixo em um pequeno ponto no teto.

— Você usou, você ajuda a dobrar — ela diz, jogando a cesta de roupas limpas no chão, perto da porta. Eu reclamo e saio da cama, seguindo-a escada acima, uma mão segurando um pacote de ervilhas congeladas nos meus hematomas, outra equilibrando o cesto.

Minha mãe fica me observando enquanto nós dois começamos a dobrar as roupas juntos no quarto dela.

— Eu achei que era um jogo de brincadeira.

— Era pra mim. Para o Sam, porém…

Eu não estava planejando contar nada, mas minha mente não parava de revirar aquilo tudo. Então eu conto tudo a ela. Sobre a briga. E Marley.

— Sam está certo — eu digo depois de um momento de silêncio, uma camisa do time de futebol do Ambrose na minha mão. — Talvez eu não merecesse mesmo a Kim. Talvez ela fosse boa demais pra mim.

— O que o Sam sabe? — Ela diz, enrolando um par de meias e jogando-as em mim. — Você pode ter outros amigos. Ou outras... mais que amigas.

Meu estômago revira, mas eu não consigo falar disso agora. Eu não consigo parar de pensar no que Sam disse.

— Ele estava apaixonado pela Kim — eu digo, finalmente, esperando que ela erga os olhos. Que ela fique surpresa. Mas em vez disso ela só assente. *Ela sabia.* Esse tempo todo, só eu não notei?

Será que Kim sabia?

Mais uma pergunta que nunca vou poder fazer a ela.

Eu observo minha mãe dobrar uma toalha, o rosto dela ficando pensativo.

— Então... o que você vai fazer? — Ela pergunta.

— Com o quê?

Minha mãe revira os olhos.

— Você é um romântico incorrigível, querido. Eu acompanhei você e a Kimberly desde que vocês tinham oito anos. Uma vez que você decidiu que era ela, ninguém mais serviria, mesmo quando vocês enlouqueciam um ao outro — ela finalmente diz. — Mas por causa disso você nunca se permitiu imaginar sua vida sem ela. Você sempre a colocou no centro de tudo e... isso é muita pressão pra um relacionamento. Muita pressão pra uma pessoa que ainda está descobrindo quem é.

— Mãe... — eu começo a dizer.

— Só escuta. Por que você comprou aquela pulseira para a Kim?

— Porque eu a amava — eu digo com firmeza. — Eu queria mostrar a ela o quanto a amava. — Ela só me encara e ergue uma sobrancelha, como se esperando que eu continue falando. Eu inspiro longamente, desviando o olhar enquanto dobro um par de calças de moletom. — E... porque eu sabia que algo estava errado. Eu achei que a pulseira a lembraria de tudo que já tínhamos superado. Queria mostrar a ela que podíamos consertar o que quer que estivesse errado.

Ela assente.

— Você *sempre* estava tentando consertar as coisas em vez de pensar no porquê elas estavam quebradas. É difícil construir qualquer coisa se a fundação tem rachaduras. — Ela para e pega outra camiseta. — E isso não significa que vocês dois não se amavam. Só significa que talvez vocês estivessem funcionando em frequências diferentes.

Funcionando em frequências diferentes. Às vezes, quando brigávamos, realmente parecia que não estávamos tendo a mesma conversa. Eu penso naquela noite. Nossa conversa no carro. Nós estávamos na mesma página naquela hora?

Quantas vezes nós estávamos em lugares diferentes sem nem notar?

— A Kim sempre vai ser parte de você, Kyle, mas você precisa viver sua própria vida. Ela não pode mais opinar. Você tem muitos dias pela frente. Eles podem ser todos como esse, dobrando a roupa limpa com sua amorosa e devotada mãe... — Ela dobra uma camisa enquanto minhas mãos estão imóveis, segurando meias descombinadas. — Ou você pode tentar viver sua vida *sem* ela, se permitir viver *de verdade* — ela diz, erguendo os olhos para me olhar. — Ver aonde o vento te leva.

Eu sorrio, mas fico em silêncio por um momento enquanto pego uma calça jeans. Foi isso que Kim disse. *Exatamente* o que ela disse. Kim também queria ver quem éramos um sem o outro.

Ela percebeu. Minha *mãe* percebeu.

Só eu que não.

Desta vez, porém, faz sentido. Desta vez... talvez eu consiga entender.

E com esse entendimento eu percebo que Sam está ao mesmo tempo certo e errado.

Nós realmente precisamos nos lembrar da Kim. E... Bom, seria impossível esquecê-la, mesmo se eu tentasse. Ela está em tudo o que eu sou. Eu não estaria aqui sem ela.

Mas não podemos ficar presos, imobilizados sem ela. Imobilizados pelo que ela queria.

Nós precisamos nos virar sozinhos agora.

— Eu tenho conversado com a Marley sobre o que eu talvez queira fazer. Já que o futebol está fora de questão — eu digo lentamente e os olhos da minha mãe acendem imediatamente. — Você acha que eu seria um bom jornalista esportivo? Eu pensei que poderia fazer um curso, ou tentar um estágio, ou algo assim.

— Eu acho que você seria um excelente jornalista esportivo. — Ela sorri, o mais feliz que eu a vejo desde... antes. — E eu acho que qualquer um que te ajude a encontrar um caminho é uma boa pessoa pra você ter na sua vida.

Ela pega uma pilha de toalhas e grita por cima do ombro enquanto anda na direção do banheiro.

— Acho que vou precisar de um novo parceiro de dobra.

Na manhã seguinte eu pego a caixa com as coisas de Kimberly e a levo para cima. Minha mãe segue logo atrás de mim, sua mão se encaixa com suavidade no meu braço quando eu chego na entrada.

— Você tem certeza disso, querido? — Ela pergunta, me fazendo encará-la.

Eu faço que sim, erguendo os olhos da caixa para encontrar o olhar questionador dela.

— Tenho certeza.

Ela me puxa para um abraço, seus braços me apertando com força. Eu aproveito. Eu preciso fazer isso para começar a seguir em frente. Seja conseguindo um estágio ou consertando as coisas com Sam ou... outra coisa qualquer.

As memórias daquela noite não são aquelas nas quais eu quero me agarrar. Preciso abandonar a culpa. Preciso parar de tentar mantê-la encaixotada aqui comigo.

Coloco minha mão em cima da caixa com suavidade, um último adeus, antes de entregá-la à minha mãe para que ela a devolva para os pais de Kim. Quando ela se vira, eu sinto o peso da pulseira no meu bolso. A última lembrança daquela noite fatídica.

Aquela que eu achei que não poderia abandonar.

— Espera — eu digo e a pego, os berloques de metal tilintando. Dói entregá-la, mas quando eu a coloco delicadamente na caixa um peso sai do meu peito e eu respiro fundo pela primeira vez em quase quatro meses.

16

Alguns dias depois, estou deitado de costas na grama observando a luz do sol atravessar os espaços entre os galhos das árvores, os raios cintilantes dançando diante dos meus olhos. Marley e eu nos encontramos ao meio-dia para alimentar os patos, como normalmente fazemos, o clima quente do fim de setembro nos conduzindo à cerejeira, suas pétalas desbotando para um tom quase branco.

— No que você está pensando? — Marley pergunta ao meu lado.

— Só... — Eu respiro fundo. — No Sam.

Conversar com a minha mãe me ajudou a entender muita coisa, mas não consertou nada com Sam. E eu ainda não consegui saber como conversar com ele sobre isso.

Eu me viro para olhar para ela, a luz do sol lançando um brilho quente sobre seu rosto, seus olhos cor de mel vívidos, a cor abrindo espaço para um verde reluzente em volta da sua pupila. Ela estica a mão na direção do meu rosto e eu me pego imaginando como seria se ela me tocasse.

Em vez disso, ela pega um dente-de-leão que está entre nós e o cheira. A culpa surge de novo, mas sem muita força, como se estivesse exausta demais para continuar lutando. Talvez eu também esteja. Mas a expressão de dor de Sam não some da minha mente.

— Nós brigamos no último fim de semana. Eu... eu não tenho sido um amigo muito bom pra ele desde que a Kim morreu. Eu não estava sendo honesto com ele... — eu emudeço e solto um longo suspiro. — Ou comigo mesmo.

— É difícil ser a pessoa que errou, não? — Ela diz, seu rosto ficando triste.

Eu me apoio em um braço. É muito difícil para Marley se abrir. Ela nota minha reação e me lança um sorriso tênue.

— Desculpa. Eu não quis dizer isso. É engraçado. Eu sempre fui quieta. *Supertímida.* Ao ponto da Laura às vezes ter que falar por mim. — Ela desvia o olhar na direção do cemitério. — Ela sempre sabia o que eu queria dizer. Talvez porque fôssemos gêmeas.

Ela sempre evita falar da irmã. Nada de histórias tristes. Isso é importante para ela.

— Nós éramos idênticas. Em quase tudo — Marley diz e a nuvem escura atrás de seus olhos toma conta dela. Do vinco na sua testa até a forma cansada como seus ombros se curvam, isso a consome. É como se uma pessoa totalmente diferente estivesse sentada na minha frente. — Quando eu a perdi, eu perdi minha voz. Mas agora, com você... — Ela silencia, olhando de volta para mim, seus olhos clareando só um pouquinho. — Eu sinto vontade de falar de novo.

— Fale tudo que você quiser — eu digo. — Eu estou aqui pra isso. — Há uma magia nesse momento em que ela está me deixando entrar e eu não quero quebrar o encanto, então embora eu queira pegar na mão dela para consolá-la, eu não o faço.

Ela gira o dente-de-leão entre os dedos.

— Uma vida sem a Laura — ela diz com uma voz suave. — Parece mais impossível quanto mais o tempo passa. Parece *errado*.

Espero um pouco, mas ela não diz mais nada.

— Eu entendo — digo, sentando-me. E é verdade. Tudo na vida depois do acidente parece errado. Exceto isso. — Mas talvez nós dois possamos tentar achar algo que torne tudo um pouco menos errado. Juntos.

— Como? — Ela pergunta.

As palavras flutuam na ponta da minha língua, mas não sei por onde começar. Então eu penso em como nos conhecemos, aquele dia no cemitério, e uma ideia me vem à mente.

— Histórias. Você disse que nós dois poderíamos ser contadores de história, certo?

Ela assente com uma expressão pensativa.

— Bom, eu quero ouvir uma história sua — digo. Ela se endireita e cruza os braços. — Tudo o que você me disse naquele primeiro dia foi "Era uma vez..."

— De jeito nenhum — ela diz, os ombros tensos. — Eu não tenho ideia se elas são boas ou não. Quer dizer, e se você as odiar?

— Eu vou amá-las. Eu sei que vou — prometo.

— Você não pode prometer uma coisa assim — Marley diz com uma risada.

— Por favor! — Eu peço, e consigo ver a hesitação no rosto dela. O silêncio se prolonga entre nós até que ela finalmente o quebra, soltando um suspiro longo e dramático.

— O.k... mas só se eu puder ler alguma coisa sua também.

Eu fico tão feliz por ela concordar que aceito a troca antes de notar com o que concordei.

Droga, ela é boa.

Ela ergue o mindinho. Eu enrolo o meu no dela, prometendo. Nossas mãos se demoram, os dedos deslizam na direção das mãos até a dela estar totalmente dentro da minha. É como acordar de novo. Todas as fibras do meu ser parecem vivas e querem acabar com a distância entre nós. Um movimento mínimo é como um terremoto.

— Marley... — eu começo a dizer, mas ela se afasta rapidamente, seus olhos fixos nos meus lábios.

— Você sentiu isso? — Ela sussurra.

Eu senti. O ar em volta de nós vibra, o espaço entre nós racha.

Eu estico a mão para pegar na dela de novo, mas assim que meus dedos a tocam, ela se afasta de mim, deixando esse momento. Ela levanta rapidamente e limpa suas roupas, enfiando abruptamente as mãos na jaqueta jeans.

— Tenho que ir.

— Marley — eu digo, me recompondo. — Você não precisa ir.

Ela começa a ir embora, seus sapatos amarelos em destaque no verde da grama.

— Isso é uma história triste esperando pra acontecer — ela resmunga, sua voz quase inaudível. Quando ela chega na trilha, ela se vira para me olhar. — Apenas amigos, Kyle — ela diz. — Era esse o acordo.

Concordo com a cabeça, observando-a ir embora, desaparecendo por entre as árvores. Então olho para baixo e vejo um dente-de-leão amarelo ao meu lado.

Eu o pego, pensando em como teria sido beijá-la, penso nos olhos dela fixos nos meus lábios há poucos minutos. Talvez Sam esteja certo sobre outra coisa também.

Eu quero mesmo ser só amigo de Marley?

Na quinta de manhã vou até o cemitério. Eu ainda tenho muita coisa para entender, mas acho que finalmente tenho as palavras certas para dizer a ela. Para Kimberly.

Eu congelo quando vejo uma figura ajoelhando diante do túmulo dela e um braço comprido se esticando para colocar um grande buquê de tulipas contra a lápide.

Sam.

Claro.

— As tulipas — digo quando me aproximo. — Eram suas.

— Eram as flores favoritas dela — ele diz, seus olhos focados na lápide. KIMBERLY NICOLE BROOKS.

Eu me ajoelho sobre a minha perna rígida e passo a mão pela pedra irregular.

— Não é justo — Sam diz, me observando. — Você está seguindo em frente. Ela não pode. Isso deve ser uma coisa babaca de se dizer, mas...

— Eu entendo, Sam. Acredite em mim, eu me sinto um babaca constantemente. Indo comprar sorvete. Vendo filmes no sofá. Até *rindo*. Tudo isso parece errado sem ela. Mas se isso for verdade, nós dois vamos passar o resto das nossas vidas presos bem aqui — eu digo, apontando para o cemitério a nossa volta, para a lápide de Kimberly.

Ele não diz nada, mas também não me impede.

— Eu finalmente entendi o que Kim estava dizendo. Eu não entendia antes. Eu não a escutei antes. Mas finalmente, depois desse tempo todo, eu entendo o que ela queria de mim. *Pra mim*. A melhor coisa que eu posso fazer para honrá-la é caminhar sozinho, Sam. Como ela queria. Eu preciso deixá-la ir. — Eu silencio e olho para ele por um longo momento, percebendo que ele precisa disso tanto quanto eu.

— Você também.

Ele se levanta com um impulso enquanto eu me esforço para fazer o mesmo. Quando nossos olhos se encontram, ele me dá uma longa olhada antes de desviar o olhar com culpa.

— Eu sinto muito por você ter descoberto assim.

— É — eu digo, assentindo com a cabeça enquanto penso nas palavras dele no parque. — Várias coisas fazem sentido agora. Como você sempre a defendia. Ficava do lado dela.

— Eu ficava do *seu* lado também — Sam diz. — Eu nunca fui atrás dela. Nunca contei a ela o que eu sentia.

— Você também nunca contou pra mim — eu digo. — Você poderia ter contado.

— Isso teria mudado alguma coisa? — Ele pergunta.

Eu sacudo a cabeça, sabendo a verdade.

— Provavelmente não.

Ele sorri e eu sei que nós dois estamos ouvindo a voz dela na nossa cabeça. Mas não do jeito "lesão cerebral". Não dessa vez.

— Mas — eu prossigo — acho que agora isso muda algo. Eu consigo ver a verdade no que você disse antes. Nós precisamos ser sinceros com nós mesmos.

Nós nos encaramos, inseguros sobre o que fazer. Optamos por um abraço rápido e então Sam cutuca meu braço, sorrindo com alguma malícia.

— Você sabe o que sua mãe fez com aquela cerveja? — Ele pergunta.

Eu aponto a saída com a cabeça, sorrindo da mesma forma.

— Quer descobrir?

Nós caminhamos juntos para fora do cemitério, só nós dois. Embora eu estivesse falando com Sam, tenho certeza de que Kim estava lá. Eu sinto que ela me ouviu. Que eu finalmente acertei. E mesmo ao deixarmos ela para trás, ela parece mais próxima do que esteve em muito tempo.

17

Eu me movimento pela cozinha arrumando os talheres sobre os guardanapos, o chá gelado de menta já no canto do jogo americano. Estou quase pronto.

Esta tentativa de fazer o jantar está saindo um milhão de vezes melhor que a anterior. Provavelmente porque eu abandonei a receita de filé de costela e tentei algo mais... a cara da Marley.

Cachorro-quente com batatas fritas. Mas dos sofisticados, com um toque de Marley.

Arrumo cuidadosamente o prato de acompanhamentos dela, colocando oito pequenos ramequins vazios nele ao redor de uma tigela um pouco maior cheia de pipoca. Então eu os encho: um com mostarda amarela, um com pedacinhos de bacon e os outros com ketchup, molho barbecue, dois tipos diferentes de picles, queijo ralado e cebolas em cubinhos.

Por debaixo dos ramequins, adiciono um grande pedaço de salsão. Como eu imaginava, o prato se transforma em uma flor de condimentos. Eu o levo até a mesa e o posiciono com cuidado. Quero que ela se sinta confortável esta noite. Quero que ela saiba que eu a vejo. Da forma como ela sempre me vê.

Essa não vai ser uma história triste.

Eu coloco os cachorros-quentes e as batatas fritas no prato, tomando cuidado para eles não se tocarem, bem na hora que a campainha toca.

Vou para a cozinha, tentando acalmar meus nervos. *Por que* eu estou tão nervoso? Nós sempre ficamos tão confortáveis juntos.

Eu abro a porta e vejo Marley em pé sobre o nosso capacho, vestindo jeans e seu cardigã amarelo, o cabelo preso num coque.

— Oi — ela diz baixo. Ela me entrega um punhado de flores. Eu dou uma examinada rápida, tentando adivinhar o que ela quer me dizer com isso.

Eu olho para o conjunto de pétalas brancas e pequeninas, mas não dou a sorte de saber o nome. Tudo que eu sei é que são aqueles ramos de flores cheios, que parecem buquês, geralmente plantados em frente a casas de avós.

— O que essas significam? — Eu pergunto a ela.

— São hortênsias — ela diz, pegando a alça da bolsa com uma mão e esticando a outra para tocar um dos buquês floridos. — Querem dizer... gratidão.

— Bom, eu estou cheio de *gratidão* pelas flores — eu digo, sentindo vergonha de mim mesmo. *Tem como* eu ser mais sem graça?

Por sorte, ela ri e entra, tirando os sapatos.

— Com fome? — Eu pergunto.

Ela assente e vira o rosto para a cozinha, farejando.

— O cheiro é bom.

Há algo parecido demais com alívio no rosto dela.

— Espero que o *gosto* esteja bom — eu digo enquanto seguimos o aroma acolhedor da comida pelo corredor.

Quando entramos na cozinha, ela observa a mesa posta com cuidado, os guardanapos dobrados, as velas que eu tirei da última prateleira no armário do corredor. A mão dela se estica para pegar o prato com a flor de condimentos e um sorriso finalmente aparece nos seus lábios.

— Porque cada um merece seu próprio espaço — eu digo e ela cora ao se sentar.

Há uma pausa desconfortável, uma tensão nova entre nós. Uma eletricidade quente. Ela sente também? Eu tento ignorar a sensação e manter minha voz leve ao sugerir atacarmos a comida.

Eu pego meu cachorro-quente e dou uma grande mordida. Isso alivia um pouco mais a tensão e logo Marley está rindo e provando todos os diferentes condimentos com pequenas mordidas.

Mas, por alguma razão, a coisa favorita dela não é um condimento.

— Só *pipoca*? — Eu pergunto, incrédulo, quando ela cuidadosamente coloca mais uma em cima do seu cachorro--quente e dá uma mordida. — De todos esses complementos, pipoca é seu favorito?

Ela dá de ombros, se divertindo.

— Eu devo ser um pouco como um pato.

Isso me faz sorrir. Passo o restante do jantar fazendo diferentes combinações de condimentos para deixá-la com nojo, embora minha mistura de bacon, molho barbecue e queijo seja, definitivamente, genial.

Conforme nossa refeição acaba, a conversa morre. Eu enfio minha última batata frita na boca. Marley deixa as últimas mordidas de seu cachorro-quente de lado. Nós dois ficamos em silêncio e a eletricidade que estávamos tentando afastar preenche a sala. Eu sei que Marley nunca mostrou suas histórias antes, e eu com certeza não mostrei meus artigos para ninguém.

Bom, não pessoalmente.

Mas... eu não acho que nosso estilo de escrita é o ponto aqui.

Eu pigarreio e me levanto para levar os pratos para a pia. Com o canto do olho, eu a vejo brincar com seu guardanapo, dobrando-o e desdobrando.

Eu me viro e vejo os dedos dela torcendo o material.

— Você está nervosa? — Eu pergunto.

Ela ergue os olhos de uma forma que diz: *pra caramba*.

— Bom. Porque *eu* estou nervoso — eu admito.

Ela parece surpresa.

— Você está?

— Bastante nervoso — respondo, estudando o rosto dela, das sardas em seu nariz aos seus lábios cheios. Todos os traços parecem diferentes nesse novo cenário e meu coração está batendo mais rápido. — Quer dizer, você está *aqui*.

— Eu te deixo nervoso? — Ela pergunta baixando os olhos para focar o guardanapo. — Eu... mesmo?

Eu hesito, sabendo que estou me equilibrando num precipício, de um lado o passado e do outro o futuro. Eu preciso escolher.

— Você me deixa... — eu começo a dizer e me aproximo dela, então decido só falar. — Você me faz querer mais, e *isso* me deixa nervoso.

Ela ergue os olhos, que brilham na luz tremeluzente das velas, mas não diz nada. Talvez eu devesse ter ficado de boca fechada e deixado que ela aproveitasse seu jantar.

— Então, hum — eu digo, mudando de assunto. — Que tal uma sobremesa?

Eu pego o sorvete do freezer e fico aliviado quando vejo Marley se iluminar ainda mais ao perceber que ele é de morango. Adivinhar o sabor de sorvete favorito das pessoas é um talento meu, e Marley é definitivamente uma amante de morangos.

Cada um de nós enche uma tigela. Marley ri quando eu coloco quase todo o pote do sorvete de chocolate na minha e ainda roubo uma bola do de morango dela para completar. Então vamos para o porão e nos sentamos em lados opostos do sofá gasto.

— Está pronta? — Eu pergunto a ela quando pego minha pilha de artigos amassados na mesinha de centro.

Não estou certo de que *eu* estou pronto, mas ela faz que sim, apoia a tigela ainda com sorvete e tira, nervosa, seu caderno amarelo e gasto da bolsa. Ela hesita antes de entregá-lo, cruzando alguma linha invisível ao soltá-lo.

Abro na primeira página. Sua caligrafia limpa e exata me atrai, me fazendo esquecer de que ela está lendo meus artigos enquanto eu sou imediatamente puxado para mais perto das suas emoções escondidas, os pedaços secretos de Marley que entram em cada conto de fadas.

Uma das histórias é sobre gêmeas idênticas que alimentam um bando de patos no lago. Cada vez mais patos vêm, até que as duas são levadas por eles, voando bem acima do lago, do parque e do cemitério.

Outro é sobre uma menina que planta flores cor-de-rosa que nunca param de crescer até que um dia elas viram uma pessoa inteira: um reflexo floral da garota.

As histórias de Marley são tão boas que me fazem querer me inclinar e arrancar meus artigos sem graça da mão dela.

— Marley — eu digo. Ela me espia por cima de um dos artigos, seus olhos arregalados e questionadores. Eu ergo o caderno dela.

— Você precisa mostrar isso pra mais pessoas além de mim. As crianças vão pirar com essas histórias.

Ela se endireita no sofá, animada, a eletricidade dela transbordando.

— Você acha mesmo?

Eu faço que sim, olhando para a página na minha frente que tem um desenho da menina de flores da história.

— Com certeza.

— Os seus também são ótimos — ela diz, erguendo o artigo que está lendo. — Eu nem gosto de esportes e você conseguiu torná-los interessantes. Os perfis dos jogadores são meus favoritos. Eu sinto que conheço o Sam de verdade depois de ler esses — ela acrescenta, a foto em preto e branco de Sam me encarando do topo da pilha. — Você os torna mais que números. São esses que você deveria usar pra tentar um estágio.

Eu rio, aliviado por ela não os odiar. Ela fica em silêncio por um longo tempo, encarando o caderno amarelo nas minhas mãos.

— As pessoas vão gostar delas? — Ela pergunta suavemente.

Nossos olhares se encontram.

— Vão amá-las — eu digo, e é verdade.

Ela olha para trás de mim, para as portas que dão para o jardim, o luar refletindo no vidro.

— Quer ir lá fora? — Ela pergunta, puxando a gola de sua blusa.

Eu sei como ela se sente. O quarto parece ter se contraído a nossa volta, preenchido até o topo com esses sentimentos ainda sem nome que giram entre nós.

— Claro — eu digo e pego um cobertor grosso.

Nós saímos para o quintal e nos deitamos no cobertor, olhando para o teto de estrelas. A mão dela roça de leve na minha e a noite ganha vida. Tudo fica mais brilhante. Tudo vibra. Ela se afasta para apontar a lua, um círculo perfeito pendurado no céu.

— Dizem que as pessoas não dormem tão bem quando a lua está cheia.

Eu analiso a superfície brilhante, sabendo que eu com certeza não vou conseguir dormir esta noite, com ou sem lua cheia.

— Lobisomens? — Eu pergunto e ela ri, cutucando meu braço.

— Eu escrevi uma história sobre a lua — ela diz, a eletricidade do toque dela ainda ressoando suavemente em mim. Eu olho para ela e vejo seu rosto brilhando na luz fraca, o luar pálido delineando seus traços. — Uma história nova.

— Me conte.

— É... uma história de amor — ela diz, hesitante. — Minha primeira.

— Então eu definitivamente quero ouvir.

Ela olha para mim, seus olhos como piscinas escuras, profundos e vulneráveis. Eu me apoio num cotovelo, esperando.

— O.k. — ela diz, finalmente. — Era uma vez...

— Por que todas as histórias começam assim? — Eu pergunto. Eu não quero quebrar o encanto, mas a pergunta sai antes que eu consiga impedi-la.

Ela sorri.

— Nem *todas* as histórias. Só as melhores.

— Essa foi a primeira coisa que você me disse, lembra? "Era uma vez".

Nós nos encaramos por um bom tempo, uma força invisível me puxa para perto dela. Eu juro que paro de respirar. Marley pigarreia e desvia os olhos, e a atração diminui, mas não desaparece.

— História — eu digo, voltando meus olhos para a lua.

— Certo. Continue.

— Era uma vez uma garota — ela começa.

— Eu já estou gostando — eu digo, encorajando-a e ela me dá um soquinho no braço, sua expressão meio divertida, meio irritada. E, como eu esperava, isso a faz prosseguir.

— Toda noite ela andava em uma trilha através de uma floresta muito, muito escura, até o pé de uma linda cachoeira e lá ela olhava para a lua e fazia um pedido — ela diz. — Toda noite o pedido era o mesmo.

As palavras de Marley tecem um feitiço, e eu imagino que vejo a garota. *Realmente* a vejo, olhando para a lua ao pé de uma cachoeira, seus lábios abrindo enquanto ela sonha com...

— Ela sonhava com amor — Marley diz como se estivesse lendo a minha mente. — Ela era uma sonhadora sem ninguém com quem compartilhar seus sonhos.

Sinto a solidão da garota dentro de mim.

— Mas aconteceu que, naquela noite, a lua estava cheia. Mais brilhante do que nunca — ela diz suavemente. — Olhando para baixo, ela viu algo no chão. Uma pérola. Ela a pegou e ouviu um homem dizer "com licença, mas eu acredito que isso é meu".

— Era? — Eu pergunto. — A pérola era dele?

Ela assente.

— Então ela lhe entregou a pérola e sob a luz do luar ele viu lágrimas nos olhos dela — Marley diz e eu me agarro a cada palavra. — O homem perguntou a ela: "por que você está chorando?". E a garota respondeu baixinho: "por um momento eu achei que ela poderia ser para mim". Mas o homem pegou a pérola e continuou andando pela trilha.

— Babaca — eu digo.

— Espera — ela responde com um sorriso sábio.

— É melhor ele não ser um babaca.

— Na noite seguinte, enquanto fazia seu pedido, a menina ouviu um barulho atrás de si — Marley continua a história, me ignorando. — Era o homem, e em sua palma estava a pérola. Ele disse: "Eu viajei por muitas estradas atrás desse tesouro perdido, dessa parte de mim, mas foi você que a encontrou e a devolveu para mim. Agora eu quero dá-la a você", e colocou a pérola na mão dela. E, durante o mês seguinte, ela encontrou o homem na cachoeira toda noite.

— Não era um babaca — eu digo, aliviado.

Marley sorri e me manda ficar quieto.

— Eles conversaram sobre tudo, compartilharam segredos e sonhos. A menina realizou o seu desejo. Ela encontrou o amor — ela diz e a palavra amor faz com que eu vire a cabeça para olhar para ela enquanto algo se move dentro de mim.

— Mas, na trigésima noite, a noite da próxima lua cheia, o homem não estava lá. No lugar dele... estava a pérola.

Meu coração aperta. A dor que se entrelaça nas palavras dela é familiar.

— Durante as vinte e nove noites seguintes, nada. Ela não fez pedidos. Ela só seguiu em frente, continuou procurando, mas ele nunca estava lá. Mas na trigésima noite...

— A próxima lua cheia — eu sussurro.

— Outra pérola — Marley também sussurra. Os olhos dela encontram os meus, a energia entre nós borbulhando. Depois de um longo tempo, ela continua: — A menina chorou e chorou. Então ela secou suas lágrimas, olhou para a lua e fez outro pedido. Um diferente.

Eu prendo a respiração e fixo meus olhos nos lábios de Marley.

— *Traga-o de volta pra mim.*

Um arrepio sobe pela minha espinha.

— A lua se acendeu, seus raios refletindo na cachoeira, fazendo-a parecer com um milhão de pérolas caindo. A garota olhou de volta para a lua e de repente... ela se lembrou do que o homem havia dito.

Marley encara a lua cheia com reverência, como se estivesse fazendo seu próprio pedido.

— O que ele disse? — Eu pergunto baixo, quando não consigo mais esperar. Eu sei que estou sendo um ouvinte terrível, mas eu preciso saber o que ela está desejando.

— Ele disse "eu viajei por muitas estradas para encontrar esse tesouro perdido, essa parte de mim..."

Essa parte de mim – puta merda. Começo a entender melhor.

— A cada lua cheia, pelo resto da vida, a menina recebeu uma nova pérola... — Marley continua.

— O homem na lua — eu digo e me conto, totalmente em choque. — Ele era o homem na lua!

Marley sorri.

— ... e ela soube que ele estava cuidando dela, brilhando sobre ela, iluminando seu caminho na floresta muito, muito escura. E, de vez em quando, no reflexo da água, ela podia ver o rosto dele. Lá da lua, sorrindo para ela.

A voz dela é pouco mais que um sussurro quando ela termina sua história.

— E ela sabia que era amada.

Nossos olhares se cruzam e eu sei que isso não é amizade. Todas as minhas desculpas somem. Eu não penso se é certo ou errado ou nada disso. Eu a amo. Eu a amo como o homem da lua ama aquela garota.

Ela cora e se senta, aparentemente desconfortável, entendendo meu silêncio de forma errada.

— É estúpido, não é?

Eu balanço a cabeça e pego a mão dela.

— Não é estúpido — eu digo, falando o que realmente penso como jamais disse na minha vida. — É lindo.

Eu espero que ela se afaste, mas ela não o faz. Nossos dedos se entrelaçam e nós ficamos assim até chegar a hora dela ir embora, olhando um para o outro sob as estrelas brilhantes. Então eu a levo até a porta e me apoio no batente enquanto ela olha para mim, do capacho.

— Elas são boas — eu digo, cheio de convicção. — Suas histórias são muito boas, Marley. É quase como se... — minha voz falha e eu sorrio. — Como mágica. Você me leva completamente pra outro lugar.

Eu consigo sentir a energia entre nós de novo. Os olhos dela são calorosos no brilho suave da luz da varanda. Mais abertos. Ela dá um passo para trás, mas o campo magnético se alarga e em vez de quebrar, ele preenche o espaço entre nós.

— Eu espero que você pense assim pra sempre — ela diz. Uma mínima sombra passa pelo rosto dela. Eu queria saber a razão.

— Eu vou — digo enquanto ela desce os degraus e passa pelo gramado da frente, virando-se para me dar um pequeno aceno antes de desaparecer completamente em uma curva.

Eu fico parado na varanda por um tempo depois que ela sai, ainda sentido essa energia apesar de já ter perdido ela de vista. Eu sinto um calafrio, a noite fria de outono arrepia os pelos dos meus braços, mas eu não quero me mover. Eu não quero que esse sentimento desapareça.

Pouco depois, luzes aparecem na entrada. O carro da minha mãe desacelera até parar e, então, a porta do carro se abre. Ela sai, me dando uma olhada antes de voltar para pegar sua bolsa.

— Você parece feliz — ela diz quando chega aos degraus.

E ela está certa. Eu estou.

18

Na manhã seguinte eu acordo me sentindo muito bem.
Tão bem, que pego o iPad da mesinha de cabeceira e
abro o Google para começar minha busca por estágios enquanto tomo o café da manhã. De início, a busca não é muito
promissora, a maior parte dos trabalhos não são remunerados
e nem muito animadores. Eu encontro um quase perfeito,
um trabalho para a seção de esportes de uma revista, mas fica
a duas horas de distância.

Eu ouço minha mãe descendo as escadas, então jogo outra fatia de pão na torradeira e sirvo uma xícara de café com
leite para ela assim que ela entra na cozinha.

— Bom dia — eu digo, estendendo a xícara para ela.

— Bom dia — ela responde, pegando-a. Ela arregala os
olhos enquanto dá um gole. Eu volto minha atenção para o
iPad, franzindo a sobrancelha enquanto deslizo por mais uma
página de vagas.

— Por que você está com a cara fechada? Sua cabeça
está doendo novamente?

— Não, isso está melhorando — eu digo. E é verdade. As visões diminuíram um pouco depois que eu comecei a falar sobre essas coisas com a Marley, o que prova o ponto da dra. Benefield sobre isso ser mais emocional do que físico. Eu suspiro, apertando o botão para que a tela se apague. — Só estou procurando um estágio.

— Ah! — ela diz, batendo na testa. Então ela sai da sala e volta um segundo depois segurando sua bolsa lotada. Eu observo enquanto ela procura algo, dali saem recibos, um kit de primeiros socorros e algumas barras de cereal. Eu juro, todas as porcarias que ela guarda ali poderiam fazer uma pequena cidade sobreviver ao apocalipse. — Eu encontrei Scott Miller ontem de manhã no Starbucks. Sabe, o cara da seção de esportes do *Times* que costumava cobrir seus jogos?

— Sim, eu lembro dele — respondo, endireitando-me na cadeira. Scott na verdade fez um perfil meu uma semana antes da minha lesão. Ele foi bem positivo quando eu o encontrei, um mês depois de tudo ter acontecido.

Eu não sei por que não pensei nele antes.

— Bom — ela diz, tirando um cartão de visitas bem do fundo da bolsa — eu disse a ele que você estava interessado em escrever e ele disse que você com certeza devia ligar pra ele.

Ela estende o cartão para mim e eu o pego, levantando em um salto para lhe dar um abraço.

— Você é a melhor — eu digo, dando um beijo no rosto dela.

Pego meu celular e vou para o corredor ligar para ele, mas uma mensagem de Sam surge enquanto eu digito.

Futebol às 10. Você vem? Quer carona?

Eu hesito antes de digitar uma resposta rápida. Provavelmente nunca vou me sentir melhor que hoje, então, se vou tentar, melhor que seja agora.

— Ei, mãe? — Eu grito para a cozinha. — Posso pegar o carro emprestado?

Quando encontro Marley no parque na quarta-feira eu já tenho uma entrevista marcada com Scott para sexta e dirigi o carro da minha mãe um impressionante total de três vezes. Me sinto praticamente invencível.

O parque está cheio, o dia quente de outono trazendo consigo um bando de crianças para brincar na grama.

— Eu adorava empinar pipa — Marley diz, observando um menino passar correndo por nós, tentando fazer uma pipa decolar.

Eu me viro para vê-la e o resto do parque desbota.

Ela está tão linda. O cabelo solto nos ombros, um suéter amarelo profundo que combina com a tiara fina nos cabelos. Toda vez que ela fala alguma coisa ou vira para sorrir para mim, eu sinto uma vontade imensa de pegar a mão dela. Eu não sabia o que ia acontecer depois daquela outra noite, mas essa coisa entre nós só ficou mais forte durante os dias que passamos longe.

Nós atravessamos a pequena rua que leva ao lago e quanto mais perto chegamos da água, mais corajoso eu fico. Eu penso na história que ela me contou. A menina desejando o amor. O homem na lua respondendo a esse desejo.

Faça, eu digo a mim mesmo, observando a mão dela se mover para a frente e para trás perto da minha, a centímetros de distância.

Eu respiro fundo, estico o braço e pego a mão dela, mas na mesma hora uma dor aguda atinge minha cabeça. Droga, minha cabeça esteve boa a semana toda.

— Posso? — Eu pergunto, enquanto luto contra a dor focando nos lábios de flor dela e no meu coração que parece pronto para saltar fora do peito.

Ela hesita por um segundo, então eu dou um passo na direção dela.

— Nossa história não vai ser triste, Marley — eu sussurro para ela. — Eu não vou deixar que seja.

Ela não diz nada, mas seus dedos seguram os meus com mais força. Eu coloco o cabelo dela atrás da sua orelha e minha mão se demora no seu rosto, os lábios dela a centímetros dos meus. Eu me inclino de leve para a frente, quase sem respirar, sem saber se ela vai se inclinar também ou fugir.

Ela não foge.

Ela se aproxima e nós nos beijamos, e é como se uma onda de todas as coisas viesse ao mesmo tempo: o rosto dela emoldurado por pétalas de flor de cerejeira, os olhos dela no dia em que nos conhecemos, uma catarata de pérolas.

Eu me afasto, sorrindo, o rosto dela brilhando no sol da tarde.

— Minha regra da amizade foi uma ideia terrível...

Ela abafa o resto da minha frase, rindo e inclinando-se para outro beijo. Eu a envolvo nos meus braços, mas os olhos dela se arregalam quando ela vê algo atrás de mim e ela subitamente se afasta, deixando minhas mãos agarrando o ar vazio.

Ela corre pela grama, frenética, abrindo caminho pelo meio de um bando de crianças que estão jogando futebol. Ela agarra uma menininha que está no meio da rua, puxando-a para a calçada.

Que isso? Eu perdi alguma coisa?

Eu corro para alcançar Marley enquanto ela leva a criança até um grupo de crianças mais velhas. Ela deixa a garota ao lado de uma menina pré-adolescente que tem a mesma cor de cabelo que a pequena.

— Essa é sua irmã? — Marley pergunta, com raiva.

A menina assente, claramente assustada. Ela não deve ter mais de doze anos.

— Você sabe o que poderia ter acontecido com ela solta no meio da rua daquele jeito? — Marley está gritando, suas mãos nos ombros da menina. Os olhos de Marley estão arregalados, mas eu não sei se de medo ou raiva. Esse é um lado dela que eu nunca vi. — O que ela...? E se...?

Eu entro no meio, tocando o ombro dela.

— Marley — eu digo com firmeza, mas ela me ignora.

— Você deveria cuidar da sua irmã. Ela poderia ter morrido.

Eu fico ali, confuso, observando as outras crianças, suas expressões assustadas enquanto elas tentam se esconder uma atrás da outra *mas também* ver melhor o que está acontecendo.

— Tire as mãos da minha filha! — De repente, ouvimos um grito e uma mulher que só pode ser a mãe das meninas se aproxima pisando duro pela grama, atrás de uma briga. Nós precisamos ir embora.

— Marley — eu digo, puxando-a para longe. — Para com isso. Ela está bem. Vamos embora.

Ela olha em volta, para o grupo de crianças, para a menina aterrorizada, a mãe com raiva, até finalmente olhar para mim, enquanto seguro seus pulsos com firmeza. Chorando, ela se solta de mim e corre pela grama na direção do cemitério.

— Qual é o seu problema? — A mãe grita atrás dela.

Eu a vejo correr e levo um segundo para processar tudo o que aconteceu.

Dou uma desculpa rápida para a mulher e a menina assustada e corro atrás de Marley, cortando caminho pelo parque, sabendo exatamente para onde ela está indo. Vou direto para o cemitério, onde eu a encontro caída ao lado do túmulo de Laura, a cabeça baixa, o cabelo comprido escondendo seu rosto.

— Ela está certa, sabe — Marley diz quando eu me aproximo, ofegante. — Tem algo errado comigo.

Eu me inclino para colocar delicadamente o cabelo dela atrás da orelha, para que eu possa ver seu rosto.

— O que está acontecendo?

— Nada de histórias tristes — ela diz, sacudindo a cabeça.

— O.k. — eu digo e me sento ao lado dela. Tudo o que eu quero é entender o que acabou de acontecer. Mas eu sei melhor do que ninguém que não é fácil estar pronto para contar uma história dessas. — Você não precisa me contar nada. Mas, se quiser, estou aqui.

O corpo dela está totalmente enrolado em si mesmo. Então ela ergue os olhos, tocando o que eu agora consigo notar que é um pingente de safira cor-de-rosa que ela usa em volta do pescoço. Normalmente, só a corrente fica visível; eu nunca tinha visto a pedra antes.

— Eu sempre vesti amarelo — ela diz e eu penso em todos os tons da cor que a vi usar. A tiara, os sapatos, o cardigã, a capa de chuva. — No começo era só uma coisa que minha mãe fazia quando éramos muito pequenas, pra que cada uma tivesse uma aparência diferente, já que todo o resto da nossa aparência era exatamente igual, mas... depois se tornou mais do que isso. Amarelo fazia eu me sentir feliz, leve. Mesmo quando eu estava ansiosa.

As pontas dos dedos dela tocam os lírios cor-de-rosa crescendo em volta do túmulo.

— Mas Laura... ela amava tons de rosa. Quanto mais vívido, melhor. Sempre.

Eu tento não me mover, temendo que até uma breve respiração interrompa a fala dela. É raro conseguir mais do que uma frase sobre Laura.

— Eu nunca fui igual a ela. Ela era divertida, sabe? Extrovertida. Ela podia conversar com qualquer um, por horas.

— Ela pega uma das flores dando um sorriso triste. — Eu não ligava de todo mundo gostar mais dela, porque eu também gostava mais dela.

Eu pego a mão dela, encorajando-a silenciosamente a continuar.

— Nós sempre cuidávamos uma da outra. Bom, a Laura cuidava de mim em geral. Naquele dia... ela estava... — A voz dela falha e eu seguro os dedos dela com mais firmeza, dando-lhe forças. — Bom, ela ia dar uma lição em Jenny Pope — ela diz, também apertando minha mão. — Ela não ia machucá-la, só constrangê-la, do mesmo jeito que a Jenny tinha me constrangido. — Ela faz uma pausa e sacode a cabeça. — Deus, eu estava apavorada. Eu sabia que alguém perceberia que não era eu, que era a Laura fingindo. Então eu ficaria ainda mais constrangida. — Ela olha para o túmulo, para o nome nele. — Mas Laura... ela estava tão segura. Tão calma. Tão pronta pra assumir o controle. Não consegui dizer não a ela.

Eu noto uma pilha de pétalas aos meus pés, um lírio rasgado em pedacinhos pela mão livre dela. Eu engulo em seco, com medo do rumo dessa história.

— Então nós estávamos usando as roupas uma da outra. Ela de amarelo, eu de rosa. O cabelo dela estava solto, o meu preso. Ela era eu, eu era ela.

Ela silencia e sua respiração fica desigual. Ela tenta falar, mas não consegue. Há algo que a impede, uma barreira que ela não consegue quebrar.

— Se... — ela consegue dizer. — Se eu estivesse olhando. Se eu estivesse prestando atenção. Eu... eu...

— O quê? Marley, o que aconteceu? — Eu a incentivo a continuar, a lutar contra a barreira.

Ela sacode a cabeça, mas sua voz prossegue.

— Nós... nós tínhamos esses colares idiotas. Safiras, uma cor-de-rosa e uma amarela. Laura sabia que pra isso dar certo, nós precisávamos estar perfeitas. Nós estávamos no ponto de ônibus quando ela se lembrou. — Ela toca o pescoço. — Eu ainda estava usando minha safira amarela, ela estava usando a rosa.

Ela começa a tremer, suas memórias a consomem.

— Ela tirou o dela e pediu o meu. Mas... enquanto ela estava colocando, o colar... ele ficou preso no cabelo dela. Ela estava tão acostumada a manter o cabelo preso e o meu, o meu estava sempre solto. Mas o dela estava... merda. — Ela começa a tremer mais ainda. — Eu... merda...

— Tudo bem, Marley... — Eu tento abraçá-la, mas ela está com raiva. Frustrada.

— Não está tudo bem! — ela diz com ferocidade. — Aquela porra de pingente amarelo... meu pingente amarelo... ficou preso no cabelo dela. O cabelo dela que estava solto por minha causa. Ela estava puxando e rindo e ele se rompeu. O pingente rolou para o meio da rua.

Ela para de falar, as lembranças ganhando vida diante dos seus olhos.

— Eu vi o carro antes dela. Ela... nem sequer viu. Mas eu vi. Eu vi e congelei. Eu nem tentei avisá-la. Minha voz também estava congelada.

Eu me inclino para trás, chocado. Puta merda. Ela fica tensa, como se estivesse ouvindo os pneus cantando, o som repugnante.

— Marley. Não foi sua...

— Então eu ouvi um grito — ela diz, me interrompendo. — Eu pensei que tinha sido eu, mas era nossa mãe. Eu nem me lembro de como ela chegou lá. Ela só estava lá, no chão, segurando Laura. Gritando... — A voz dela fica alta e aguda, a dor dessas palavras, dessa lembrança, ganham corpo. — "Vocês deviam cuidar uma da outra! Como isso aconteceu? Marley, como isso aconteceu?"

Ela fica em silêncio por um bom tempo, lutando para recuperar o fôlego.

— Foi isso que ela gritou. Várias e várias vezes.

Ela abraça os joelhos e enterra o rosto enquanto luta contra as lágrimas que ameaçam cair. A voz dela se torna um sussurro.

— Eu grito a mesma pergunta pra mim mesma todo dia desde então. A todo minuto. Mas eu grito do lado de dentro, onde ninguém pode me ouvir.

Eu vejo agora. Escondido atrás de cada movimento dela. Cada respiração. Ela ainda se culpa pelo que aconteceu, embora não seja verdade. Não é culpa dela.

Mas é a verdade para Marley.

— Eu nunca nem chorei. Nunca nem falei com ninguém sobre isso. Eu não conto a história triste. Eu só tento desaparecer — ela diz, finalmente. — Porque, se a Laura não pode estar aqui, eu também não deveria estar.

— Marley — eu digo, pegando a mão dela. — Não foi culpa sua. — Eu nunca quis tanto que alguém entendesse algo.

— Foi — ela diz, olhando para onde meus dedos encontram os dela. — Minha mãe estava certa.

— Às vezes... — eu digo. — Às vezes, quando estamos magoados, nós dizemos coisas que não queremos. Nós dizemos coisas sem pensar nas consequências. Eu tenho certeza de que ela não quis dizer isso.

Mas ela não se convence.

— A Laura *sempre* cuidou de mim. Ela estava tentando me ajudar e eu nem tentei salvá-la — ela diz, com raiva de si mesma. — Eu só fiquei parada.

Eu aperto a mão dela, pensando.

— Marley. Você acha que o acidente que matou Kim foi minha culpa?

Ela ergue os olhos confusa.

— Não. Foi um acidente. Você sabe que foi um acidente. Quer dizer... Você também se machucou.

— Então como isso é diferente?

— É só... — a voz dela se perde e ela desvia os olhos. — Só é. Você se machucou. Eu não. Laura só estava tentando me ajudar e eu não pude... — Os olhos dela ficam distantes. — Ela era melhor. Em todos os sentidos — ela acrescenta.

— Não é justo que eu esteja aqui e ela não. Eu quero ser como ela, mas não sou. Eu nunca vou ser.

Eu toco a bochecha dela de leve e seu rosto se volta para mim.

— Você não precisa ser como ela, Marley. Você já é completa.

Ela nega com a cabeça e baixa os olhos para os pedaços do lírio destruído no chão.

— Você é — eu repito, pensando em todas as coisas que compartilhamos desde que nos conhecemos. — Marley, você me fez sentir compreendido de uma forma que ninguém nunca fez. Você é gentil, uma ótima ouvinte e também forte pra caramba. Eu acho que suas histórias são tão incríveis porque você conhece a perda. Você conhece o amor. Você sabe o que é sentir — eu digo.

Ela mantém a cabeça baixa, em silêncio.

— Pra mim, você é a melhor parte disso tudo. Eu estava muito mal quando nos conhecemos e você fez eu me sentir vivo de novo. Você não consegue ver como é especial? — Eu tento me inclinar para a frente para ver o rosto dela, mas ela não se mexe, então eu tento deixar as coisas mais leves. — Quer dizer, quem dá flores para as pessoas por causa do significado delas? Quem mais tem à disposição um exército de patos que amam pipoca?

Eu sei que não vou convencê-la de imediato, mas nós não temos só o hoje. Não temos só esse momento. Temos tempo.

— Eu estou falando sério, Marley — eu digo, puxando-a para perto, aliviado quando ela deixa eu me aproximar com seu cheiro de jasmim e flor de laranjeira, acolhedora e familiar. Eu a envolvo com os braços, abraçando-a forte pela primeira vez.

— Sem mais histórias tristes. Eu prometo — eu sussurro.

E foi assim que nós começamos uma história nova.

19

— **Experimenta esse** — **minha mãe diz,** erguendo um blazer enorme em risca de giz. Eu faço uma careta, sem saber como sinalizar que ela achou o item mais feio desse lugar.

Às vezes minha mãe é perfeita para escolher roupas. E outras vezes ela sugere que eu experimente um blazer azul em risca de giz.

Por sorte, ela entende minha expressão e ergue uma jaqueta esportiva cinza escuro no lugar.

— Você quer parecer casual, mas profissional.

Eu a pego da mão dela e visto: o tecido adere confortavelmente aos meus ombros e braços. Me examino no espelho da loja de departamentos.

O que Marley iria pensar? Ela acharia que estou bonito?

Tento abaixar meu cabelo e meus olhos encontram a cicatriz fina na minha testa, o lembrete persistente de tudo o que aconteceu nos últimos meses.

Quanto mais tempo eu passo olhando para a jaqueta e para o meu reflexo, mais nervoso eu fico para a entrevista amanhã.

Minha mãe ajusta a gola e me examina.

— Eu conheço essa cara — ela diz, dando um tapinha no meu rosto. — É sua cara de preocupação em dia de jogo importante.

Eu olho para ela.

— É tão óbvio assim?

— O quê? A expressão de sofrimento existencial? — Ela sacode a cabeça, sorrindo. — Nem um pouco.

Eu olho de volta para o espelho, me virando para a direita e para a esquerda para dar uma olhada melhor na jaqueta. Então solto um longo suspiro.

— E se eu não conseguir o estágio? — Pergunto. — E se ele achar que meu texto é péssimo?

Ela faz uma expressão séria e ergue a mão para virar meu rosto do espelho para ela.

— Kyle, você teve que apertar o botão de reiniciar não só uma vez, mas duas, no último ano. A lesão no ombro foi dura — ela diz, respirando fundo. — Mas o que você passou com isso não chega nem perto de quando você perdeu Kimberly.

Eu engulo em seco, meu ombro e cicatriz de repente doem quando eu penso em tudo isso.

— Se você conseguiu passar por essas coisas, você com certeza consegue passar por isso — ela diz, com convicção. — Você sempre vai encontrar um jeito de recomeçar, se precisar.

Eu pigarreio, desviando os olhos, enquanto ela funga alto secando seus olhos castanhos, uma cópia exata dos meus.

— Certo — ela diz, sorrindo e me empurrando. — Vamos comprar uma camisa.

Eu passo um braço pelo ombro dela enquanto vamos para a seção de camisas.

— Sempre para a frente — ela diz, dando um tapinha no meu peito.

— Nunca pra trás — eu completo, sorrindo.

Na manhã seguinte, eu estou sentado no lobby do *Times*, vestindo minha nova jaqueta cinza, esperando Scott Miller sair do seu escritório e vir me entrevistar.

Enquanto isso, para evitar fazer contato visual com a recepcionista, observo as paredes, as edições emolduradas e os recortes que ocupam cada centímetro quadrado.

Leio algumas manchetes: COLÉGIO AMBROSE GANHA O CAMPEONATO ESTADUAL. GORDON RAMSAY NÃO ODIOU O RESTAURANTE LOCAL. REUNIÃO DE SEGURANÇA DA CIDADE TERMINA EM ACIDENTE.

Uma porta se abre no final do corredor e eu rapidamente limpo minhas mãos nas calças porque, embora eu normalmente não sue nas palmas das mãos, meu corpo decidiu que vai tentar essa novidade bem agora.

Scott enfia a cabeça para dentro da recepção dando um sorriso rápido e cheio de dentes para mim.

— Kyle! Como vai?

Eu me levanto para apertar a mão dele, enfiando a pasta com meus artigos e currículo embaixo do braço. Ele é um pouco mais alto do que eu. Mais ou menos da altura de Sam, grisalho, com cabelo cortado curto e óculos de aro preto estilosos.

— Estou bem, senhor. Muito obrigado por me atender hoje — digo enquanto caminhamos por um corredor longo e estreito e passamos por uma porta que leva a uma redação agitada cheia de cubículos, pessoas conversando e o som de teclados. Scott cumprimenta algumas pessoas com a cabeça e me leva até o canto em que trabalha, decorado com objetos esportivos, uma flâmula do Ambrose pendurada com lealdade na parede.

Ele se senta em uma cadeira de rodinhas e puxa outra de uma mesa vazia.

Eu estendo a pasta para ele quando me sento.

— Aqui está o meu currículo. Eu trouxe alguns artigos que escrevi...

Ele aponta para seu computador e ajeita os óculos no nariz.

— Eu já os li. Eu assino a versão on-line. Os perfis dos jogadores do último ano são muito bons.

Se minhas mãos não estavam suadas antes, elas definitivamente estão agora. O que ele achou deles?

— Você foi para o Ambrose pra algum jogo este ano? — Ele pergunta.

Eu hesito, me lembrando do jogo ao qual eu fui, quando eu vi Kimberly sentada ao meu lado, morta, mas não morta.

— Eu vi parte de um.

— Bom — ele diz, inclinando-se na sua cadeira, que range alto. — Eu adoraria que você fizesse o mesmo tipo de perfil dos formandos deste ano.

— Tipo... para o *Times*?

Scott ri, assentindo.

— É. Tipo para o *Times*.

— Claro! — Eu quase grito. *Fique frio, Kyle. Fique frio.* Eu pigarreio, baixando o tom uns dezoito pontos. — Sim, senhor, eu adoraria fazer isso.

— Ótimo — Scott diz, voltando-se para o computador. Ele move o mouse e a tela se acende. Ele minimiza o documento que estava aberto e um calendário surge. — Eu estava pensando em quinze a vinte horas por semana, doze dólares a hora. Claro, quando você fizer os perfis ou sairmos para um jogo isso conta como tempo pago. Está bom pra você?

— Espera — eu digo e ele olha para mim. — Então... eu estou contratado? Para o estágio?

Ele sorri.

— Você está contratado desde o segundo em que eu li os perfis que você escreveu dos jogadores. Você conseguiu fazer cada jogador ganhar vida na página. Eu fiquei muito impressionado — ele diz, e a sensação é a mesma de quando me tornei titular pela primeira vez, exceto que dessa vez serei pago.

Nós trabalhamos juntos em um cronograma, colocando meu nome em certos blocos vazios. E eu cuido para manter um horário que me permita encontrar Marley na hora do almoço ou de tarde quando eu sair. Quando terminamos, ele imprime o cronograma e me entrega. Ainda quente. É bom ter um cronograma nas minhas mãos de novo, pessoas contando comigo.

Parece um passo à frente. Um passo na direção da pessoa que estou me tornando.

Ligo para Marley no segundo em que saio do prédio e nós fazemos planos para nos encontrarmos no parque em meia hora. É difícil ficar calmo quando parece que eu vou literalmente explodir de animação.

Tenho um tempo livre, então eu ando até a rua principal para ver vitrines. Em uma delas, vejo uma enorme pipa amarela. Alguns minutos depois, eu a estou carregando comigo para o carro da minha mãe.

O caminho até o parque é rápido. Eu saio do carro para esperar Marley e aproveito para mandar mensagens para minha mãe e Sam com a boa notícia sobre a entrevista.

Eu enfio meu celular de volta no bolso e dou um grande suspiro de alívio, meu hálito quente transforma-se em fumaça no ar gelado. Quando ela se dispersa, eu vejo Marley vindo na minha direção pela trilha, uma flor rosa avermelhada na mão. As árvores em volta dela estão quase nuas no ar de outono, as folhas marrom e laranja estalando alto sob seus pés. Eu ergo a pipa para cumprimentá-la e o rosto dela se abre num sorriso. Ela corre o resto do caminho, ajustando seu gorro amarelo-mostarda na cabeça e ignorando totalmente a pipa.

— Como foi? O que aconteceu?

Eu encosto no carro, tentando não parecer muito animado.

— Bom, parece que ele gosta dos meus artigos — eu digo casualmente.

— Então? — Ela insiste impaciente.

— Então... você está olhando para o novo estagiário de esportes do *Times* — eu digo, minha aparência calma indo embora. — Eu fui contratado na hora.

Marley dá um gritinho e joga seus braços em volta de mim.

— Eu te disse. Eu sabia que você seria.

Eu rio.

— Você estava certa sobre os perfis dos jogadores. Foi o que ele mais gostou.

— Claro que foi — ela diz, me entregando a flor que está segurando, uma bonita bola cor-de-rosa com dezenas de pétalas rosa claro que ficam cada vez menores conforme se aproximam do centro. — É uma peônia. Significa boa sorte e fortuna, mas eu acho que agora você não precisa mais.

— Nunca se pode ter boa sorte demais.

Ela sorri e se afasta para me ver melhor.

— Aliás, você está muito lindo.

Eu endireito minha jaqueta e sorrio. Ela nunca disse nada assim para mim antes.

— Ora, obrigado. Mas talvez não seja a melhor coisa de se usar pra empinar uma pipa.

— Eu não empino uma pipa há anos — Marley diz enquanto ajusta minha gola com a mão.

— Achei que podia ser divertido — eu digo, erguendo-a. — Você disse que costumava amar fazer isso quando era pequena. E... hoje está ventando bastante.

Como se tivesse sido ensaiado, o vento ergue o cabelo dela, jogando-o para um lado e para o outro. Ela toca de leve a madeira fina da pipa, assentindo com a cabeça.

Dá bastante trabalho lançar a pipa. Nós soltamos um pouco da linha e nos revezamos correndo pela grama, mas a brisa a apanha e solta com a mesma rapidez, e a pipa mergulha inúmeras vezes no chão.

Finalmente, na quinta tentativa, ela se ergue suavemente pelo ar.

Eu giro com a linha deslizando pelos meus dedos. A pipa se vira para a direita e para a esquerda, o vento a faz dançar pelo céu nublado de outono.

Assim que ela se firma, passo a pequena barra de madeira para Marley, e observo o olhar dela fixo na pipa, seu rosto aberto de um jeito lindo.

— Você tem planos para o Halloween sábado que vem? — Eu pergunto.

— Na verdade, não — ela diz e a pipa mergulha. Ela puxa a linha de novo, firmando-a. — Outras pessoas... Não é muito a minha praia.

— Bom — eu respondo, nada surpreso. — Minha mãe vai viajar e eu gostaria da sua ajuda pra distribuir os doces.

Ela me olha com ceticismo.

— Vai ser divertido — digo. — Nós podemos vestir fantasias de Halloween e tudo — eu acrescento, tentando animá-la. — Quer dizer, como não amar fazer isso? Você pode ser quem ou o que quiser.

Eu observo a mente dela funcionar, pensando nisso.

— O.k. — Ela diz, finalmente. Então encosta em mim e eu beijo a testa dela. — Mas só porque você parece muito animado com a coisa da fantasia. Eu detestaria acabar com seus sonhos.

O sorriso pequeno e provocador dela é demais para mim. Eu a ergo em um enorme abraço, nós dois rimos enquanto o resto da linha se desenrola da pequena barra de madeira e a pipa flutua solta pelas nuvens ao mesmo tempo que eu a beijo. Os lábios dela estão frios, mas o resto do seu corpo é quente e ela enrola os braços em torno do meu pescoço.

— Perdemos a pipa — ela diz depois que paramos para respirar.

Eu rio.

— Eu prefiro segurar você, de qualquer forma.

Uma gota de chuva cai bem na minha testa e nós nos soltamos, rindo enquanto corremos pela trilha até o carro, a chuva caindo forte. Estamos quase lá quando Marley solta a minha mão.

— Espera!

Ela se curva para pegar algo do chão. Eu me aproximo e vejo uma trilha de pequenos pontos no caminho. São caracóis bebês e Marley está pegando um por um e os tirando da trilha.

— O que você está fazendo? — Eu pergunto, apertando os olhos pra tentar enxergar alguma coisa através do dilúvio.

— Eu não quero que ninguém pise neles — ela diz e nós lentamente seguimos para o carro, eu redirecionando os pedestres a nossa volta enquanto Marley tira cada um dos caracóis da trilha.

Toda vida, mesmo a vida de um caracolzinho, importa para ela. Meu coração se enche enquanto eu a observo, nós dois já encharcados. Quando chegamos em segurança no carro, ela me olha e, sem dizer nada, me inclino e a beijo. Eu nunca conheci ninguém como ela antes, e eu não preciso de peônias para saber a sorte que tenho por tê-la encontrado.

20

Estou sentado na varanda com uma cesta cheia de doces. A máquina de gelo seco ao meu lado solta outra rajada de fumaça, embaçando minha visão. Eu abano a mão para dissipá-la e outra horda de crianças vem gritando até mim, enquanto seus pais aguardam na calçada iluminada pelos postes de luz.

— Gostosuras ou travessuras! — Um pequeno fantasma grita.

— Hum, gostosuras? — eu digo enquanto duas Elsas mergulham com avidez nos doces antes de sair correndo para fora do meu campo de visão.

Eu apoio a cesta no colo e tiro meu capacete de futebol americano para checar com a câmera do meu celular se a maquiagem de zumbi que minha mãe me ajudou a fazer ainda está no lugar. Minha cicatriz agora é uma ferida melequenta na minha testa.

Eu quase pedi a minha mãe para tirar quando vi e, sinceramente, eu ainda não consigo olhar para ela sem nojo.

Tudo que eu consigo ver é meu reflexo nos óculos da dra. Benefield na noite do acidente quando minha cabeça estava *de fato* aberta.

Mas estou tentando não fugir mais disso.

Fico tenso quando minha visão embaça e começo a ouvir um sussurro, me dizendo para não deixar...

— Buuu! — Uma voz diz, me puxando para fora da visão antes que ela consiga me tomar por completo.

Abaixo meu celular e vejo...

O que é isso?

Marley está vindo na minha direção pela escada. Parece que ela foi engolida por uma volumosa fantasia de caracol marrom. É o pacote completo. Antenas longas, uma concha grande em espiral, tudo nela idêntico aos caracóis que afastamos da trilha uns dias atrás.

Rindo, eu me levanto e estendo os braços para ela. Ela se remexe e balança sua concha para me acertar na lateral.

— Ei, eu não estou rindo *de* você...

Ela me olha feio, cruzando os braços, até suas antenas me encaram.

— Certo. Ótimo. Eu não vou dizer nada. — Eu desdenho e fecho um zíper na minha boca enquanto ela revira os olhos, adorável.

Eu nunca achei que me sentiria atraído por um caracol gigante, mas aqui estamos.

Eu abro minha boca e pigarreio.

— Espera, eu só preciso dizer uma coisa... Você é o caracol mais bonitinho que eu já vi.

— É, claro — ela diz suavemente e dá uma rodadinha. Tento abraçá-la, mas sua concha gigante fica no caminho, impedindo que meus braços a envolvam completamente.

— Então... Por que um caracol?

— Bom, você sabe — Marley, o caracol, responde tocando distraída minha camisa de futebol rasgada e "zumbizada".

— Somos quietos, somos tímidos e nos escondemos.

Eu me inclino na direção dela e uma de suas longas antenas quase arranca meu olho fora.

— Você nunca vai precisar se esconder de mim, Marley — eu sussurro.

Observo um milhão de expressões passarem pelo rosto dela, rápidas demais para que eu acompanhe. Finalmente seus traços se aquietam.

Ela ergue a mão e toca hesitante os dois fechos em seus ombros.

— Eu acho que me vesti como a velha eu — ela diz, erguendo os olhos para a minha camisa de futebol americano rasgada, o capacete enfiado embaixo do braço, o sangue falso na minha testa. Ela dá um passo para a frente e estende a mão, tocando-a de leve enquanto eu encaro seus lábios, querendo beijá-la.

— E você se vestiu como o velho você — ela diz, suavemente, e eu fecho os olhos quando ela me toca, desejando mais.

A mágica do momento é quebrada por algumas risadinhas.

Um grupo de crianças fantasiadas nos observa como se fôssemos um prato de brócolis.

— *Eca* — diz um pequeno Drácula, seguido por um monte de risadinhas.

Eu olho para Marley com um sorriso malicioso e então atiro a cesta de doces na frente das crianças e um massacre acontece no meu gramado, os olhos dos pais arregalados de horror.

Pegando a mão de Marley eu a puxo para dentro de casa e apago a luz da varanda atrás de nós.

Está escuro do lado de dentro exceto pelo brilho da iluminação dos postes, a luz amarela entrando pelas janelas. Eu dou um passo na direção dela, o ar fica elétrico quando ela me olha, seus lábios levemente entreabertos.

— Parece que ficamos sem doces.

— Como isso aconteceu? — Ela pergunta, sem fôlego.

Ela ergue lentamente o braço. Meu coração acelera quando ela abre os fechos dos ombros e deixa que a concha da fantasia caia no chão.

— Eu já não sou mais isso — ela diz, aproximando-se de mim.

Tiro a camisa por cima da minha cabeça, limpando o sangue da minha testa, a ferida que já não me define. — E eu não sou mais isso.

Ela tira suas antenas. Eu chuto meus sapatos.

Ela me encara por um longo momento, então meu coração salta para a garganta quando ela lentamente tira seu collant, revelando a pele macia por baixo. Os olhos dela nunca deixam os meus, a eletricidade entre nós crescendo cada vez mais até eu não aguentar mais o espaço entre nós.

Logo estamos só de roupas íntimas, todas as nossas partes antigas fora do caminho. A lingerie amarelo-claro dela se agarra aos seus quadris, seus seios. Eu estou morrendo de vontade de tocá-la, mas eu não ouso. Nós nunca ficamos sozinhos *assim*, nunca nem falamos nisso. Qualquer coisa que acontecer em seguida é decisão dela.

Então eu espero. Mas eu não posso impedir meus olhos de devorá-la. Ela é linda.

— Eu... Eu nunca fiz isso antes — ela diz suavemente.

Eu ergo meus olhos para olhar nos dela.

— Nós não precisamos. Marley...

— Eu quero — ela diz.

Suas bochechas ficam vermelhas no segundo em que ela diz essas palavras. Seu olhar, porém, se mantém firme. Determinado.

— Com você — ela continua aproximando-se, seus olhos movendo-se tímidos pelo meu corpo enquanto ela explora meus braços, meu pescoço, meu peito. Eu tenho certeza de que ela consegue sentir meu coração batendo sob seus dedos, quase explodindo sob o toque dela.

— Eu estou morrendo aqui — eu digo enquanto as mãos dela viajam para baixo, pelo meu abdome.

— Eu... eu não sei o que estou fazendo — ela sussurra, erguendo os olhos para me olhar, insegura pela primeira vez.

— Você está me matando, é isso que você está fazendo — eu digo enquanto inspiro fundo.

Nós começamos a rir, e um pouco da tensão nervosa se desfaz. Eu a puxo para perto, os braços dela em volta do meu pescoço, seus dedos entrelaçando-se nos meus cabelos.

— Você tem certeza de que você está bem com isso? — Pergunto. Quero ter certeza. Quero que *ela* tenha certeza.

— Sim, eu... — Ela segura meu cabelo com mais força, suas pupilas grandes na luz amarela e pálida. — Eu amo... — ela começa a dizer, mas sua voz se perde. Ela me beija suavemente, sussurrando sobre os meus lábios. — Eu amo... isso — ela diz, finalmente encostando sua cabeça na minha.

Eu encaro os lábios dela, nossas respirações se misturam. Todo o mundo desbota, exceto por ela. Eu seguro o rosto dela nas minhas mãos, meus polegares movendo-se suavemente pela sua face, entendendo.

— Eu amo isso também — sussurro, sabendo o que isso significa. Sabendo que sinto o mesmo.

Ela puxa meu rosto para um beijo e eu a ergo, suas pernas enlaçando minha cintura. Eu a carrego pelo corredor, abro a porta do porão, e logo as últimas coisas que nos mantêm afastados desaparecem.

Horas depois, a escuridão abre lugar para o som de metal batendo, a chuva martelando pesada no telhado do carro. Meus olhos se abrem e eu vejo um enorme buraco no vidro da frente, a chuva entrando por ele, ensopando as minhas roupas, ensopando o assento embaixo de mim.

Eu vejo o globo espelhado preso no retrovisor, as luzes vermelhas refletindo nele, fazendo a chuva parecer vermelha.

Como sangue.

Eu tento me mover, tento sair, mas estou preso, cravado no lugar.

— Socorro! — Eu tento gritar, mas não sai nada.

Eu me atraco com o cinto de segurança, o som de um telefone tocando chama minha atenção para o painel onde um celular vibra e se move na minha direção. Meu coração para quando eu vejo o nome na tela.

CHAMADA DE KIM.

Meus olhos se abrem. Eu olho em volta freneticamente. Estou no meu quarto, na minha cama.

Mas saber que foi só um pesadelo não impede que minha respiração saia engasgada. Quando eu me acalmo, ouço o vento batendo na janela por fora. Ele assobia através do vidro, baixo e assustador, a trilha sonora perfeita para um pesadelo. Foi só a minha cabeça ferrada de novo. Dessa vez, contudo, eu sei que é só um sonho.

Marley está encostada nas minhas costas, quente e reconfortante. Eu deixo que a última gota de medo e pânico suma com um longo suspiro aliviado.

Atrás de mim, Marley se aninha, o calor dela me acalmando ainda mais. Eu me viro para puxá-la para perto e sinto uma mão gelada se apertar em torno dos meus pulmões.

É Kimberly. Estamos com os narizes encostados. A respiração dela faz cócegas no meu rosto. Quente. Eu me afasto, mas as mãos dela se fecham em torno dos meus braços, me mantendo perto dela.

— Não faça isso. Não me deixe — ela diz, com urgência.

— Não! — Eu grito e me sento de repente. Eu luto para recuperar o fôlego, meu peito arqueja, subindo e descendo. Eu a sinto se mover atrás de mim. Eu a empurro.

— Kyle. Ei, o que está acontecendo? — Eu a escuto. Sinto o cheiro dela.

Não é Kimberly.

— Está tudo bem — ela sussurra.

Não é Kim.

Flor de laranjeira e jasmim. *Marley.* Eu abro os olhos e observo o rosto dela, as sardas familiares, a curva suave do queixo, seus lábios delicados.

— Foi só um sonho — ela diz, apoiando sua mão no meu coração acelerado. — Eu estou aqui. Estou bem aqui.

Eu a puxo mais para perto e o pesadelo desaparece, as imagens do acidente de carro e da chuva vermelho-sangue finalmente se dissipam, vão embora, substituídas pelo o que é real.

21

Os dias passam voando. Entre as manhãs no jornal e o tempo que passo com Marley, dezembro chega de surpresa. Logo a rua principal está toda transformada em um paraíso de inverno.

E a cada dia Marley sai um pouco mais da sua concha.

Ergo os olhos e vejo a neve caindo de leve, flutuando pela rua cheia de pessoas, o Festival de Inverno a todo vapor. Guirlandas enroladas em fita vermelha foram penduradas em todos os postes, um coral canta canções em uma esquina, o cheiro de pinheiro e canela é tão forte que permeia todo o lugar de uma forma que quase compete com a vez que Sam descobriu o desodorante Axe no nono ano.

Um grupo de crianças se aglomera em volta da vitrine da loja de brinquedos, suas respirações embaçam o vidro enquanto elas observam um trenzinho correndo em seus trilhos miniatura.

— As crianças ainda brincam com trens? — Eu pergunto para Marley. Suas bochechas e nariz estão coradas e ela está usando um cachecol amarelo e grosso em volta do pescoço

— Isso ainda existe?

— Acho que sim. — Ela passa o braço pelo meu, respirando fundo o ar de canela e pinheiro, um sorriso brinca em seus lábios. — Eu não esperava que fosse adorar isso. Todo ano mamãe tenta me convencer a vir com ela, mas desde a Laura...

Eu beijo o topo da cabeça dela.

— Obrigado por vir comigo.

Foi preciso insistir, mas ela finalmente cedeu, nossas idas ao cinema e ao café perto do *Times* tornaram esse passo um pouco mais fácil.

Ela olha um grupo de pré-adolescentes comprando castanhas assadas de um vendedor, sua mão se ergue para tocar a safira rosa escondida sob seu cachecol e seus olhos ficam distantes.

Laura.

De vez em quando uma nuvem escura e inescapável passa por Marley, o peso da culpa ainda a segurando.

Eu a aperto com força e meus olhos focam a barraca azul e branca da campanha de arrecadação de fundos do time de futebol americano da minha escola que acontece todo ano no Festival de Inverno. Eu observo o cara com cabelo castanho e jaqueta esportiva pegar uma das bolas e lançar uma espiral perfeita através da argola pendurada e dar a sua namorada loira o bicho de pelúcia que ganha como prêmio.

Kim, penso instantaneamente. Ela amava esse festival, embora fizesse piada dele.

Marley e eu ainda estamos nos curando, eu acho. Mas acho que evoluímos bastante durante o último mês e o peso do luto ficando cada dia mais leve.

Quer dizer, Marley está *aqui*, no Festival de Inverno lotado. Isso é... importante para caramba.

— Ei — eu digo pegando a mão de Marley e puxando-a para a barraca, nos soltando da nuvem escura ameaçadora. — Tem aí alguma coisa que você gostou?

Nós examinamos os prêmios. Um ursinho segurando uma bengala de pirulito. Uma rena de nariz vermelho. Marley agarra meu braço e aponta para um pato amarelo vestindo um casaco vermelho e chapéu de Papai Noel. Quer dizer, como poderíamos não tentar esse? Eu puxo um dólar da minha carteira em troca de uma bola.

Eu respiro fundo e encaro a argola. Sam e eu cuidamos dessa barraca no nosso primeiro ano durante uma nevasca completa. Nós ficamos tão entediados e com tanto frio durante a primeira hora que passamos a maior parte do tempo jogando, passando a bola pela argola centenas de vezes.

É tranquilo.

Eu lanço a bola pela argola e a espiral se entorta com a jogada e vai para o lado.

Eu pego outro dólar e tento de novo, agora com uma jogada pior que a primeira – a bola passa por cima da argola e sai do campo de visão.

Talvez... não seja assim tão tranquilo.

Eu dou de ombros e me viro com um sorriso envergonhado para Marley.

— Desculpa. Talvez eu possa te comprar um...

Mas ela está focada. Seus olhos estão firmes no Pato Noel quando ela enfia a mão no bolso da jaqueta e puxa outro dólar. Ela o coloca no balcão, então pega a bola e... Puta merda.

Uma espiral perfeita flutua pela argola.

Eu grito quando o calouro na barraca entrega o pato para ela.

Então eu a ergo e giro, seu cachecol amarelo se desamarra.

— Marley — eu digo quando a coloco no chão. Eu estou bem impressionado. — Isso foi incrível. Você consegue fazer de novo?

Eu puxo outro dólar do bolso e ela pega a bola com a mesma expressão focada no rosto. Sem pensar duas vezes, ela faz outro lançamento perfeito pela argola, dessa vez com ainda mais efeito. *Quem* é essa menina?

Ela me lança um olhar travesso que eu nunca vi antes, o esverdeado dos olhos dela vibrando em contraste com a neve branca que cai a nossa volta.

Cinco minutos depois, um pato Noel e uma rena de nariz vermelha nos braços, nós vamos embora da barraca orgulhosos, meu braço no ombro dela. E pensar que ano passado eu teria fechado a cara se não conseguisse acertar aquela argola com meu braço esquerdo.

Agora eu estou comemorando ter sido completamente destruído pela minha namorada. *Duas vezes.*

Eu dou um beijo rápido na cabeça de Marley e ela se aconchega mais perto de mim, tudo absolutamente perfeito. Nós só precisamos de uma coisa.

— Chocolate quente? — Eu pergunto para Marley já nos conduzindo para uma barraca de doces e guloseimas, com balas o suficiente para manter nossos dentistas ocupados até o próximo Natal.

Ela aceita, empolgada, seus dentes batendo de frio.

— Dois chocolates quentes, por favor — peço para o barista encasacado atrás do balcão. — Com chantilly extra. E marshmallow extra.

Marley observa o barista preparando as bebidas e sacode a cabeça, incrédula.

— Isso é muito açúcar — ela diz.

— Você está falando do chocolate derretido no leite? Ou só do chantilly e do marshmallow por cima?

Ela se vira para me olhar e nós dois rimos.

— Pensando dessa maneira...

— Não existe essa coisa de muito açúcar — eu digo, puxando de leve o cachecol dela enquanto o barista nos entrega nossas bebidas com uma fina trilha de vapor subindo da espuma. — Não no Festival de Inverno.

O chocolate quente está incrível, denso, cremoso e doce, exatamente como eu me lembrava.

Marley dá um pequeno gole e um sorriso maravilhado aparece no seu rosto. Eu pego a mão livre dela, seus dedos gelados na minha palma, e nós dois abrimos caminho pela multidão até o show de luzes.

É incrível, luzes de várias cores diferentes formando árvores, renas e bonecos de neve, um cobertor branco embaixo deles. As cores cintilantes nos guiam até o coração da exibição, um túnel longo e brilhante feito de pisca-piscas pendurados em volta de nós como estrelas cadentes.

Nós paramos bem no meio do túnel e Marley dá um longo gole em seu chocolate quente, soltando um suspiro.

— Você está certo. Não existe isso de muito açúcar.

Ela afasta o copo e sobra chantilly grudado em seu lábio superior. Eu estou prestes a limpar, mas a voz dela me impede.

— Olha isso.

— O que foi? — Eu pergunto e ela aponta para cima, inclinando a cabeça para trás, suas bochechas rosadas brilhando na catarata de luzes.

Eu ergo os olhos e vejo um ramo de visco pendurado bem acima de nós, bem no meio do túnel.

— Você sabe o que isso significa — Marley diz, seu olhar mais quente que o chocolate na minha mão.

Eu arqueio as sobrancelhas, surpreso, e observo a quantidade de pessoas em volta de nós. Marley, que quase não quis sair hoje, quer me beijar em *público*?

— É?

Ela faz que sim, o chantilly ainda no seu lábio.

— Sim.

Eu me inclino para beijá-la e as mãos dela agarram a frente da minha jaqueta, me puxando mais para perto, o beijo cada vez mais intenso. Eu me perco nele, os lábios dela gelados, mas doces. Quando nos afastamos, eu estou sem fôlego, tonto da melhor forma possível.

Eu ajeito o cachecol dela mais para perto do seu pescoço e ao olhar para o lado vejo um par de olhos castanhos familiares no fim do túnel.

Sam.

— Merda — eu digo quando o vejo balançando a cabeça, como se estivesse decepcionado.

— O que foi? — Marley pergunta surpresa.

— Sam.

Ela vira a cabeça para tentar vê-lo, mas Sam já está indo embora, seus ombros largos sumindo em meio aos pisca-piscas de Natal.

O clima meio que morre depois disso, então nós saímos do túnel iluminado e andamos devagar na direção da minha casa, Marley entrelaçando sua mão na minha.

— Desculpa — ela diz, puxando meus dedos suavemente. — Pelo Sam.

— Não, tudo bem. Eu venho tentando contar pra ele — eu digo, erguendo os olhos para a neve, e alguns flocos caem na minha testa —, é só que...

— Ele nunca te viu com mais ninguém — Marley completa.

Eu faço que sim, baixando a cabeça.

— Vai ficar tudo bem? — Ela pergunta.

Eu paro e a pego nos braços, tirando o cabelo dela da frente dos olhos.

— Vai ficar tudo bem. O Sam só precisa se acostumar.

Digo essas palavras com total convicção, mas não tenho total certeza de que é a verdade.

22

— **Feliz Ano Novo** — **Sam diz,** entrando pela porta dos fundos da minha casa. O Natal foi tão corrido que eu não consegui vê-lo desde o Festival de Inverno, uma semana atrás.

Ele olha em volta, segurando um fardo enorme embaixo da jaqueta.

— Onde está Lydia? — Ele pergunta, passando por mim para espiar o corredor, sua cabeça virando para os dois lados.

— Ela saiu. Eu te disse — eu digo, observando-o fazer graça disso e olhar embaixo da mesa. Fico aliviado por as coisas não estarem estranhas.

— Certo — ele diz, abrindo a jaqueta e revelando um engradado de cerveja. — Hora do jogo. UCLA em direção à glória. O início foi dez minutos atrás.

Um carro passa na rua e ele rapidamente fecha a jaqueta, esticando o pescoço para olhar para fora da janela da cozinha.

— Ela só vai voltar à noite — eu digo enquanto ele abre a jaqueta de novo. Fico rindo quando ele abraça a cerveja contra o peito e vai até a sala com os olhos desconfiados, examinando o espaço.

— Você tem medo da minha mãe, cara? — Eu pergunto, dando uma cotovelada nele.

— Quem? Da sra. L.? — ele diz, jogando-se no sofá. — Com certeza.

Nós rimos e eu passo os canais até chegar no jogo. A UCLA está seis pontos à frente e tentando mais um.

— Como está a Marley? — Sam pergunta casualmente, seus olhos fixos na tela da TV. Eu examino o rosto dele, esperando a facada. O comentário que é um soco no estômago.

Mas ele não vem.

— Ela está bem — respondo. Essa é a primeira vez que ele pergunta dela por conta própria, mas não dou muitos detalhes.

Sam assente, abrindo sua cerveja e bebendo a garrafa toda de uma vez.

Tipo... a garrafa *toda*.

— Cara — eu digo quando ele pega outra cerveja e abre. Eu me inclino para a frente e a tiro da mão dele. — Olha, Sam, se você está puto por ter visto eu e a Marley semana passada, então...

— Não estou — ele diz, me cortando. — Quer dizer, eu queria ficar. Eu *tentei* ficar, mas... — A voz dele se perde e ele evita me olhar, correndo os olhos pela sala, para a TV, a janela, a estante no canto. Para todo lugar, menos para mim. — Aquela luminária é nova? — Ele pergunta, finalmente, apontando para uma luminária que está ali desde que nós achávamos que meninas eram nojentas.

— Vamos lá, Sam — eu digo. Eu achei que as coisas não iam mais ser assim. Eu me viro para ele, a luz da TV se reflete na garrafa de vidro na minha mão e me acerta bem no olho, fazendo minha cabeça latejar.

Ela não doía há semanas, mas quando a dor volta é tão ruim quanto antes. Isso não devia melhorar com o tempo? Eu cerro os dentes e procuro as palavras em meio a dor.

— O que quer que esteja acontecendo, fala logo.

Ele finalmente me olha com a expressão séria.

— Eu vou embora.

— O que você quer dizer? — Eu pergunto quando ele começa a se remexer de nervoso, suas pernas balançando freneticamente. Dou um chute nele como faço desde criança, dizendo a ele para parar.

Ele dá uma risadinha desconfortável e força sua perna a ficar parada.

— É por causa... por causa do que você viu?

Ele fixa o olhar em mim.

— Sabe, nem tudo é por sua causa.

Eu pisco, revendo o que acabei de dizer. Merda. Mas se não é por isso, então por que...?

— A Kim conseguiu — ele diz com um pequeno sorriso.

— As dissertações dela me ajudaram a entrar na UCLA. Vou embora semana que vem.

Semana que vem?

— Isso é... isso é ótimo. — Mas não parece nem um pouco ótimo.

Eu me calo, percebendo o que fiz mais uma vez. Pensei em mim, quando o foco é Sam. E se Sam está pronto para seguir em frente, então eu preciso deixá-lo seguir em frente.

Assim como ele *me d*eixou seguir em frente. É o que eu queria para ele. Mas, de alguma forma, não imaginei que seria assim.

— Eu preciso fazer isso, cara — ele diz, intuindo meus pensamentos confusos, uma habilidade que ele adquiriu em mais de uma década de amizade. — O último um ano e meio foi... — Ele emudece, engolindo em seco.

Um ano e meio? Do que ele está falando?

— Droga. — Ele passa os dedos pelo cabelo grosso e escuro. — Você sabe que eu não fiz de propósito, certo?

— Fez o quê? — Eu pergunto, confuso. — Não fez o que de propósito...?

— O bloqueio — ele diz, frustrado. — Eu perdi o foco por um segundo e ele passou por mim. Quando eu ouvi o barulho... — A voz dele se perde, seus olhos arregalados. Assombrados. — Eu achei que aquele som nunca mais ia sair da minha cabeça. — Ele esfrega o rosto com as mãos e sacode a cabeça. — Tudo o que você perdeu, tudo o que *nós* perdemos, é por causa daquele momento. O momento em que eu fiz merda.

— Sam, não foi culpa sua — digo, querendo que ele enxergue. — Eu sei que você não perdeu o bloqueio de propósito... — Eu silencio por alguns instantes. *Por que* ele sente isso? Eu penso em Kim naquela noite no carro. O que ela disse. — Mas ainda assim eu te fiz pagar por isso, não fiz? Você e a Kimberly. Eu joguei tudo em cima de vocês.

Sam dá uma risada áspera e ácida.

— E mais uma vez você está olhando pra você.

Mas não é disso que ele está falando?

— Sim — ele diz, confirmando com a cabeça. — Eu me arrependo daquele bloqueio. Eu odeio o que isso causou na sua carreira. Eu voltaria atrás se pudesse, mas... — Ele silencia, sua voz falhando. — Mas talvez não *apenas* pelo motivo que você está pensando.

Eu me inclino para trás no sofá, confuso.

— Se eu não tivesse perdido aquele bloqueio, então eu não teria por que compensar você. E desde então é só isso que eu venho tentando fazer, compensar você...

As peças começam a se encaixar.

— E, por causa disso, eu escolhi você em vez da Kimberly. Eu te escolhi em vez de a *mim mesmo*. — Ele coloca suas mãos sobre o peito. — Seus sentimentos precisavam vir primeiro porque eu fiz merda — ele diz, engolindo em seco. — Toda vez que ela chorava, eu queria dizer a ela que a amava. Toda vez que vocês brigavam, eu queria me meter e protegê-la.

Eu enxergo agora. O buquê de tulipas azuis contra a lápide. A forma como ele olhou para ela na noite da formatura. Todas essas coisas que ficaram invisíveis para mim por tanto tempo simplesmente porque eu não estava atento.

— Eu *ainda* a amo dessa maneira. Eu não consigo deixar pra lá. E, sinceramente, eu nem quero — ele diz, seus punhos fechados sobre as pernas. — Eu prefiro amá-la pra sempre e sofrer esse tempo todo do que esquecê-la por um segundo que seja. Talvez um dia... talvez um dia eu consiga. Mas, por enquanto, eu não consigo...

Ele fica quieto por um momento antes de olhar para mim.

— No minuto que você disse o nome da Marley, eu soube que ela não era só sua amiga. Eu soube porque era como eu me sentia com a Kim.

Eu abaixo a cabeça, esfregando meu rosto com as mãos. Merda. É muita coisa para processar.

— Meus Deus. Eu sinto muito, Sam, eu...

Sam coloca a mão no meu ombro ruim, me cortando.

— *Isso* foi minha culpa, assim como as escolhas que fiz depois. Mas... eu vou deixar isso pra lá. Eu preciso.

Eu sacudo a cabeça e olho para ele.

— Vocês dois deviam ter se livrado de mim.

Sam desdenha e revira os olhos.

— Cale a boca. Como se algum de nós pudesse ter se livrado de você. Você não desiste das pessoas, então nós não desistimos de você — ele diz me dando um sorriso amargo.

— Além do que, a Kim tentou. Sete. Vezes.

Nós dois caímos na risada. Mas a sensação é boa. Triste e restauradora ao mesmo tempo.

— Então... você vai fazer isso — eu digo quando nossa risada desaparece. — Você vai embora.

Ele assente. Solene, mas esperançoso.

— É. Vou cair fora daqui.

— Você sabe que eu vou te visitar, né?

— É melhor mesmo. — Sam sorri e nós nos olhamos por um longo tempo. Sam, a cola que mantinha nosso trio inteiro, *me* mantinha inteiro, vai ocupar seu lugar no mundo.

— Acho que isso é crescer — eu digo, odiando a ideia.

— É meio que uma merda, pra ser sincero — Sam diz, ecoando meus pensamentos. Por instinto, nós damos nosso aperto de mãos, parando no último soquinho para sorrir um para o outro.

— Sempre para a frente — eu digo enquanto dou um tapinha no seu ombro, sabendo que nossa amizade vai durar e mudar nos anos que virão, mas que se ela não acabou com tudo isso, não vai acabar com nada.

23

As coisas são estranhas sem Sam por perto.

Durante todo o inverno nós fazemos questão de conversar todo sábado de manhã pelo FaceTime enquanto eu levo tulipas azuis até o túmulo de Kim, o clima lentamente ficando mais quente e as caminhadas encasacadas durante nevascas sendo substituídas pelas chuvas de abril.

Entre o tempo que passo com Marley, meu estágio e as aulas de jornalismo que comecei na faculdade pública local, parece que eu pisquei e as estações mudaram.

Logo faz um dia de 24 graus e o parque se enche de pessoas correndo de regata e óculos de sol, agindo como se fosse verão.

Eu posiciono a última cadeira dobrável e me estico para alongar meu ombro, um pouco dolorido de carregar peso. Dou uma última olhada na sala de aula ao ar livre que eu passei esta manhã inteira de maio arrumando, assentindo com a cabeça quando noto que as fileiras estão perfeitamente retas. Alguns minutos depois, os alunos do ensino fundamental começam a chegar, mas a professora...

Nada dela.

Eu observo ao redor, procurando aquele toque amarelo familiar. Meus olhos encontram uma saia amarela, sua dona andando nervosa de um lado para o outro perto do lago, um pequeno bando de patos atrás dela.

Eu pego uma rosa amarela da minha mochila e vou em direção a ela, parando para arrumar a placa que diz COMO CONTAR UMA HISTÓRIA em uma letra de mão muito mais bonita do que eu jamais sonharia em ter. Os patos se viram para me olhar quando me aproximo. Eu vou murmurando "desculpas" para eles conforme se afastam abrindo caminho para mim até Marley.

— Ei — eu digo e pego a mão dela. Ela me lança um olhar apavorado, seus traços congelados de preocupação. — Você vai conseguir.

Ela solta um longo suspiro, não totalmente convencida.

— Como você me convenceu a fazer isso?

— Você é a melhor contadora de histórias que conheço — eu digo com convicção. — Você consegue.

Ela parece duvidar, mas eu sei que vai ser ótimo. Eu sei mais do que ninguém o quanto ela é especial. A cada dia ela se abre um pouco mais, tornando-se cada vez mais ela mesma.

E agora, hoje, ela vai compartilhar uma parte pequena de si com mais pessoas além de mim. Uma coisa sobre a qual conversamos desde que ela me deixou ler suas histórias no outono passado.

Eu puxo a rosa de trás de mim e finalmente vislumbro um sorriso.

— Minha favorita — ela diz ao pegá-la. — Eu amo... isso — ela acrescenta, me levando de volta para a noite de Halloween, nosso pequeno bordão.

— Você está falando de mim ou da rosa?

O sorriso cresce e ela aperta minha mão.

— Dos dois.

De mãos dadas nós seguimos até a tenda, onde quase todos os lugares já estão ocupados por estudantes animados com cadernos e canetas. Do jeito antigo. Nada de notebooks ou tablets. Escrever do jeito que Marley faz.

Eu fiz questão de evidenciar esse detalhe no anúncio gratuito que Scott foi legal em me deixar colocar no *Times* duas semanas atrás, já que ele está se esforçando muito para me convencer a ficar mais um semestre.

Dou um beijo no rosto dela e me sento em uma cadeira vazia enquanto ela anda até a frente da sala de aula improvisada com um mar de olhos a encarando. Ela congela e eu prendo a respiração, silenciosamente incentivando-a a falar enquanto por dentro eu grito: *Você consegue, Marley!*

— Qual — ela finalmente começa a falar, seus olhos fixos nos meus — é a primeira coisa que você precisa pra contar uma história?

— Um personagem — uma menina na fileira da frente grita e a atenção de Marley se volta para ela com um sorriso no rosto.

— Personagens são importantes, claro — ela diz assentindo. — Mas antes mesmo disso. O que você precisa?

Alguém grita.

— Algo pra eles fazerem?

Então uma voz do fundo grita.

— Uma ideia! Uma ideia! Você precisa de uma ideia.

— *Sim* — Marley responde, animada. — Você precisa de uma ideia. — Ela para um segundo, sustentando meu olhar.

— Você precisa de um sonho. — Eu dou uma olhada rápida no público e vejo todos os alunos de ensino fundamental sentados na ponta das cadeiras. Ela está arrasando. Como eu sabia que ela faria.

Eu assisto ao restante da aula maravilhado.

A cada minuto que passa, ela fica mais confiante, a Marley que eu conheço e amo finalmente saindo da concha para que todos a vejam, seu entusiasmo inspirando todos que vieram até aqui pra contar a história que eles querem contar.

Depois que a aula termina, um pequeno grupo de crianças a rodeia, fazendo perguntas e torcendo para que aconteça outra aula no futuro. Eu tomo um Tylenol e começo a guardar as cadeiras, sorrindo sozinho.

Mesmo com a dor no ombro, tudo isso mais do que valeu a pena.

Dois braços me envolvem quando eu termino, os últimos alunos seguindo para o parque, cadernos enfiados embaixo do braço.

— Isso foi incrível — Marley murmura enquanto me abraça por trás.

— *Você* foi incrível — eu digo, me virando para beijá-la, minha mão encontrando a curva familiar da sua cintura. Nós devíamos comemorar. Fazer algo divertido.

— O que você sugere? — Marley pergunta, tocando meu rosto, seus dedos suaves na minha face.

— Qualquer coisa! — Eu digo.

Ela pensa, seus olhos se acendendo, um sorriso nos seus lábios.

— *Qualquer coisa?*

Nós estacionamos em frente ao abrigo de animais e Marley espia pela janela, animada.

Isso definitivamente não era o que eu tinha em mente quando falei em comemoração, mas... é importante para ela. Ela tem falado em adotar um cachorro desde o inverno, mas algo sempre a impedia.

A expressão determinada em seus olhos me deixa sorridente. *Nada* vai impedi-la hoje.

Além disso, eu mesmo estou bem animado. Embora nunca tenha dito isso para ela, um cachorro é algo muito mais fofinho que um pato adulto fissurado em pipocas.

Ela se vira para me olhar, a mão na maçaneta da porta.

— O que foi? — Eu pergunto, colocando uma mecha do seu cabelo atrás da orelha.

— Você vai me ajudar, certo? A cuidar do cachorro?

Eu faço que sim, reconfortando-a.

— Claro.

— Porque e se eu não puder e algo acontecer com ele...?

— Você acabou de ver o que pode fazer, Marley, mesmo quando acha que não pode. Você é maravilhosa. — Ela ainda parece ter dúvidas, então eu acrescento: — Mas eu estou aqui. Sempre.

Ela sorri, seu entusiasmo volta.

Saímos do carro e Marley para no caminho para examinar botões de flor, a tarde quente de primavera dando a tudo uma sensação de novidade, alegria e certeza da melhor forma possível. Eu a cutuco de leve quando ela se inclina para a frente para cheirar uma flor e a pego antes que ela tropece, nós dois rindo.

Nós vamos até a recepção e eu fico examinando o local enquanto Marley pede para ver os cachorros. Um gato laranja e gordo com uma coleira que diz OLIVER marcha até mim e se esfrega nas minhas calças, ronronando até eu lhe fazer um carinho atrás das orelhas.

Um dos funcionários nos leva até o fundo e Oliver trota atrás de nós, claramente encarregado por essa operação.

Enquanto espiamos as gaiolas, Marley fica mais solene.

— Eu queria que a gente pudesse levar todos — ela diz, usando o indicador para fazer carinho no focinho de um labrador de grandes olhos castanhos que a encara com tristeza.

Então ouvimos um som agudo vindo de uma gaiola atrás de nós e nos viramos para ver uma pequenina filhote cinzenta de yorkshire, seu corpinho do tamanho de uma das minhas mãos. Ela late de novo, tentando alcançar Marley através das grades.

Ela dá um gritinho abafado e eu testemunho o que só posso definir como uma experiência extracorpórea, uma explosão pura de fofura.

Ela corre até lá, um funcionário destranca a porta e tira o filhotinho da gaiola.

— Essa acabou de chegar, noite passada. Nós a encontramos abandonada perto daquele lago na rua Hickory.

A cachorrinha se lança nos braços de Marley e ela a abraça com doçura, quase com reverência. Ela pega uma bolinha da frente da gaiola e as duas começam a brincar, as patinhas da filhote atacando os dedos de Marley quando ela rola a bola para a frente e para trás.

— Ela é exatamente como a filhote que eu sempre quis — ela diz, erguendo para mim os olhos brilhantes.

— Acho que temos uma vencedora — eu digo, observando Marley erguê-la e olhar com amor.

Depois de preencher os formulários e pagar a taxa de adoção, nós corremos na grama com a filhotinha perto do estacionamento, sua cabecinha surgindo por entre os arbustos floridos quando ela tromba neles, algumas pétalas grudadas em suas orelhas e focinho.

Logo ela desmaia na frente de Marley, cansada de todo o exercício.

—Alguém está com sono — Marley murmura enquanto a pega no colo e me dá um beijo no rosto. — O nome dela é Georgia — ela diz, erguendo a filhote para mim. Georgia imita o beijo de Marley, lambendo minha bochecha com sua língua pequenina, seu pelo macio fazendo cócegas na minha pele.

—Prazer em te conhecer, Georgia — eu digo dando um tapinha na cabeça dela quando ela late em resposta.

É. Bem melhor que um pato.

—A gente devia tirar uma foto — Marley diz, animada. Ela pega seu celular do bolso e o ergue para tirar uma foto nossa.

Eu sorrio quando o flash dispara, então acontece mais uma vez, um surpreendente raio de dor corta minha cabeça. Por um momento eu vejo minha mãe parada diante dos meus olhos com o mesmo vestido branco de flores que ela estava usando na noite do acidente, o celular na mão.

Merda.

Minha primeira visão em mais de um mês. Toda vez que acho que elas sumiram de vez… algo acontece.

Eu me recomponho, puxo Marley mais para perto e ela tira outra foto, depois nós olhamos o resultado no celular dela.

É uma foto fofa. Marley está linda. Feliz. Seu nariz e bochechas estão corados da corrida, o esverdeado dos seus olhos destacado pela grama em volta. Nós dois parecemos tão diferentes de quando nos conhecemos meses atrás no cemitério, o peso do nosso luto lentamente está deixando nossos ombros, a dor não está mais escurecendo nossos rostos. Nos braços dela, a minúscula Georgia, que, por milagre, olhou na direção da câmera.

— Me manda essa — eu peço para ela quando voltamos para o carro, a sensação da mão dela na minha maior do que a dor na cabeça e o desconforto no meu peito.

24

Um mês depois, estou segurando a mão de Marley enquanto andamos pela rua principal, o céu escuro e sinistro. O ar úmido de verão gruda nos meus braços e pernas quando Georgia para e cheira um canteiro de grama ao lado da calçada, o que me dá tempo para olhar para as nuvens, o vento puxando meu cabelo.

— Eu acho que vai...

Ouvimos o estrondo de um trovão e o som afoga o resto da minha frase quando a chuva começa a cair.

Marley dá um grito e agarra Georgia, apertando-se contra mim enquanto nos enfiamos embaixo de um toldo para nos mantermos secos.

Eu apoio meu queixo na cabeça dela e fico tenso quando vejo um carro passar voando por nós. Um Toyota prata. Idêntico ao que eu estava dirigindo na noite do acidente.

O carro no qual Kim morreu.

Às vezes parece ter sido há uma vida inteira. Às vezes, há apenas um minuto.

Marley pega minha mão e estuda meu rosto.

— Qual o problema?

— O carro — eu digo, um arrepio correndo pelo meu corpo. — É igual ao que eu estava dirigindo quando...

Eu me afasto, encarando a curva na qual o carro desapareceu, minha visão embaçando quando eu vejo os limpadores de para-brisa tentando, desesperados, afastar a chuva, Kim no banco do passageiro.

— Eu... eu passei por aqui de carro. Em uma noite de chuva como essa.

Outro trovão e eu me assusto com o barulho, um relâmpago parte o céu em dois.

— *Exatamente* como essa.

Espera.

Eu pego meu celular e a tela se acende, a data em letras brancas. Sete de junho.

— Hoje faz um ano — eu sussurro.

Um ano. Um ano inteiro passou desde aquela noite.

— Vamos pra casa — eu digo, focando o olhar em Marley, Georgia agarrada ao peito dela, gotas de chuva grudadas nas suas bochechas.

No segundo em que nossos olhos se encontram, eu me sinto mais calmo. Seguro.

Nossos dedos se entrelaçam e nós saímos correndo, usando toldos e marquises como proteção até chegarmos à entrada da minha casa. Quando chegamos, vamos direto para o porão e eu acendo a lareira. A chama se forma quase imediatamente, branca, amarela e laranja, comendo a madeira e nos aquecendo.

Eu me inclino para a frente para cutucar o fogo que cresce pela lenha, engolindo-a toda. Mais um estrondo de um trovão lá fora e, ao mesmo tempo, uma dor rápida e aguda cruza minha testa. O atiçador cai da minha mão com um barulho alto.

Ai. Puta merda.

Eu pego o atiçador e o coloco de volta no lugar enquanto mantenho meus olhos fixos no fogo. Isso foi...

Uma cinza salta, um flash vermelho. Por um segundo eu vejo o reflexo das luzes vermelhas da emergência no asfalto molhado, uma dor atordoante.

Não. Não vou passar por isso de novo. Eu me levanto, afastando o pensamento e o quarto volta a aparecer.

Passo os dedos pelos cabelos e solto um longo suspiro. Já se passaram muitos meses e eu ainda não gosto de tempestades. Eu não sei por que essa está disparando minha dor de cabeça assim. Deve ser por causa do aniversário.

— Você também sente, não sente?

Eu me viro e vejo Marley no sofá, seu cabelo comprido ainda úmido da nossa corrida pela chuva. Seu rosto está iluminado pela luz do fogo, mas seus olhos estão focados lá fora, encarando a tempestade através da porta-balcão. Georgia está enrolada em uma toalha nos seus braços.

Eu me sento ao lado dela, examinando seu rosto. Ela tem uma expressão distante e assombrada. Uma expressão que eu não vejo há meses.

Uma expressão que eu achei que já tínhamos abandonado.

— Sinto o quê? — Eu pergunto.

— Que nós não deveríamos ser tão felizes. Como se um dia tudo isso fosse sumir? Como... — A voz dela se perde e ela baixa os olhos para Georgia e então para a lareira, seus olhos observando cada canto do quarto antes de pousar em mim. — Algo bom assim não pode durar.

Eu tomo o rosto dela nas mãos e ela tenta sorrir, mas a tristeza permanece em volta de seus olhos, nos cantos da sua boca. Então eu a beijo em todos os lugares que vejo. Uma pálpebra e depois a outra, seus lábios e, então, suavemente, sua testa. Ela ergue os olhos para mim e eu sei que esse é o momento. Mais do que em qualquer momento antes, eu sinto as palavras que quero dizer há meses borbulhando para fora, meu coração disparado só de pensar em dizer a ela.

Não é mais eu amo *isso*. É eu amo *Marley*. Mais do que qualquer coisa.

Eu repito várias vezes na minha cabeça, minha respiração fica pesada no peito enquanto eu me preparo para dizer palavras que eu não achei que diria de novo para alguém. Palavras que eu nunca soube que podiam significar tanto. Palavras que eu sinto desde aquela noite sob a lua cheia.

Mas o nervosismo passa no momento em que eu abro a boca e as palavras fluem para fora com mais naturalidade do que quaisquer outras antes:

— Eu te amo, Marley.

Ela se sobressalta e se afasta para me olhar.

— Eu nunca soube que o amor podia ser assim. Que poderia entrar tão profundamente em mim, que eu sentiria dois corações batendo no meu peito... — Eu ponho a mão dela sobre o meu coração. — O seu e o meu. Enquanto nós amarmos um ao outro, Marley, *isso vai durar*. Nada vai impedir ou mudar isso. Eu vou te amar pra sempre. Eu prometo.

Antes de continuar, eu a beijo suavemente, tão suavemente que parece um sussurro.

— Então eu acho que depende... se você me ama também ou não.

Os olhos dela ficam marejados e ela tira uma mecha rebelde de cabelo do meu rosto, um pequeno sorriso formando-se nos seus lábios.

— Eu amo — ela diz, me beijando entre as palavras. — Eu amo, eu amo, eu amo.

Ela se lança nos meus braços, seu vestido amarelo macio sob a ponta dos meus dedos enquanto eu a puxo mais para perto, para cima de mim. Eu a beijo, a eletricidade entre nós estalando alta e com mais força que os raios do outro lado do vidro.

Tudo pelo que vivemos passa diante dos meus olhos enquanto eu a abraço. Tanta coisa mudou desde aquele primeiro dia no cemitério, desde o acidente um ano atrás, essa pessoa mudou totalmente o que eu pensei que era possível para a minha vida.

Nós nos sentamos perto do fogo, aninhados com Georgia embaixo de um cobertor, ignorando os trovões e a chuva lá fora, focando apenas um no outro até que as chamas quentes nos conduzem cada vez mais para perto do sono. Com as minhas pálpebras ficando pesadas, eu olho para Marley, segura nos meus braços, suas bochechas rosadas do calor.

— Eu te amo — ela diz suavemente.

Ouvir essas palavras dos lábios dela pela primeira vez põe o maior sorriso possível no meu rosto.

— Eu também te amo — eu sussurro de volta antes que o sono me domine. Eu a amo também. E sempre vou amar.

Eu não sei por quanto tempo dormimos, mas o estrondo alto de um trovão me faz acordar assustado, meus braços vazios, o porão escuro, o fogo apagado. Eu me sento e esfrego os olhos, focando-os em Georgia, que está sentada perto da porta choramingando. Ela bate com a pata no vidro.

Eu me ergo e vou até ela, olhando para a tempestade lá fora que ainda está caindo com fúria.

— Marley? — Eu grito para o porão vazio.

Só o silêncio me responde. Georgia bate de novo na porta e meu estômago se aperta. Marley está *lá* fora? Nessa chuva?

Abro a porta com tudo. Um vento frio corta as árvores nuas e quase me leva junto. A chuva cai pelo telhado enquanto eu corro em volta da casa, o dilúvio encharcando minhas roupas imediatamente. Um calafrio sobe pela minha nuca. Um medo que é familiar de uma forma na qual não quero pensar.

— Marley! — Eu grito enquanto corro, o som da eletricidade vibrando no ar, relâmpagos cortando o céu com raiva. Uma dor lancinante se espalha pela minha cicatriz e eu tento me livrar dela, ignorando as memórias que começam a se intrometer enquanto cambaleio para a frente, gritando o nome dela repetidas vezes. — Marley, onde você está?

Saio para a rua, olhando o quarteirão de um lado para o outro, os postes incandescentes vívidos na chuva, lutando contra a escuridão da tempestade que ameaça encobri-los. Há outra explosão de luz, um flash na frente dos meus olhos: um raio acertou o transformador no fim da rua e cobriu o quarteirão de faíscas. Eu luto para ver alguma coisa na chuva e no vento, mas eles acertam meus olhos e meu rosto, minha cabeça gritando de dor enquanto os postes apagam um por um, a escuridão chegando cada vez mais perto de mim até que toda a rua escureça.

Au-au! Georgia.

Giro na direção da casa e todas as luzes se acendem ao mesmo tempo, iluminando o gramado da frente, a varanda, o caminho para o porão. Marley voltou para dentro?

Outro relâmpago estoura no céu e eu vejo uma silhueta à minha frente por um momento antes da dor me acertar, rebatendo pelo meu crânio e o meu corpo. Uma dor tão atordoante que tudo que consigo fazer é gritar e cair para a frente, de cara no chão. Não há como parar a minha queda. Minha cabeça bate com força no chão. E então tudo fica preto.

25

Uma luz brilhante, uma enfermeira pegando minhas mãos enquanto eu me esforço para erguê-las.

Vidro partido.

O rosto de Kim.

Gritos.

O cinto de segurança travando sobre o meu peito.

— Chame a dra. Benefield, urgente!

Cabelo castanho comprido cercado por uma auréola de luz. Olhos cor de mel.

Marley?

Marley. Onde está Marley?

26

Abro os olhos e vejo a dra. Benefield examinando meu rosto intensamente. Ela sorri, erguendo os óculos para a cabeça.

— Bem-vindo de volta, senhor — ela fala alto, o som límpido e claro. Eu pisco, assustado. — Você nos deu um belo susto. Consegue me ouvir?

Eu abro a boca, mas minha garganta parece uma lixa, áspera, seca e arranhada.

— M... — eu resmungo, mas é como se houvesse pequenos cacos de vidro raspando minhas cordas vocais.

— Não fale — a dra. Benefield me instrui.

Mas eu preciso. Preciso perguntar onde está Marley. Tudo que eu me lembro é de um raio me cegando, a tempestade raivosa e ela em lugar nenhum.

— Mar... — eu insisto, fazendo uma careta de dor. A dra. Benefield toca meu braço e sacode a cabeça com o rosto sério.

— Shh — ela insiste. — Vou chamar sua família. Eles vão ficar animados.

Eu a vejo sair e luto para continuar com os olhos abertos, a luz ainda ofuscante, minha visão embaçada. Nublada.

Eu foco nas vozes de fora da sala, mas meu corpo parece fraco, totalmente gasto. Ao meu lado uma máquina solta bips altos, medindo meu coração acelerado.

— Alguém está muito feliz por você ter acordado — a dra. Benefield diz da porta.

Marley.

Meus olhos voltam para a dra. Benefield, seu contorno ainda embaçado, mas eu consigo ver uma garota ao lado dela, o braço numa tipoia.

Ela abre mais a porta e...

A sala toda gira. Eu agarro a grade da minha cama e minha respiração para. Eu aperto os olhos e espero que pare, que eu volte para a realidade como sempre acontece. Eu devo ter batido a cabeça bem forte, porque essa visão é impressionante. Mais real que qualquer outra.

Mas quando eu abro os olhos, todo o meu ar se esvai novamente.

Porque não é Marley quem entra pela porta.

É Kimberly.

E dessa vez ela não some.

Mas eu sim.

27

Quando eu acordo, mantenho meus olhos bem fechados enquanto o pesadelo com Kim recua lentamente. Eu ouço as máquinas apitando perto de mim, o cheiro dos lençóis hospitalares esterilizados entrando no meu nariz, uma mão acariciando meu braço de leve.

Eu devo ter batido *feio* a cabeça durante a tempestade. Feio o suficiente para precisar ir ao hospital. Feio o suficiente para ter uma visão como *aquela*.

— Essas chuvas de verão estão afogando minhas rosas. Porque elas não...

— Mãe — eu resmungo quando abro os olhos, aliviado, a imagem de Kim substituída pelo perfil da minha mãe, as cores nítidas e brilhantes. Eu olho em volta do quarto, fraco demais para me sentar, desorientado demais para entender tudo, minha mente movendo-se em câmera lenta.

Ela olha para mim, solta uma exclamação, e então beija todo meu rosto, com lágrimas nos olhos.

— Eu achei que nunca mais ia ouvir você me chamando.

— Qual o problema? — Eu pergunto com as lágrimas dela caindo sobre mim. Eu resmungo, tocando minha testa. — Eu caí. Bati minha cabeça, eu acho.

Ela hesita, franzindo a testa de leve, sua mão tocando o meu braço.

— Você se lembra de alguma coisa?

Eu a encaro. O que ela quer dizer com "se eu me lembro de alguma coisa"? Eu acabei de dizer a ela.

— Lembro, eu caí e bati a cabeça quando estava procurando por Marley durante a tempestade. Certo?

O rosto dela se fecha. O que mais eu preciso lembrar? Meu coração para. Por favor, não permita que algo tenha acontecido com Marley.

— Marley? Eu... você esteve em um acidente de carro, Kyle — ela diz, seus olhos mergulhando nos meus. — Com a Kimberly.

Eu pisco, sacudindo a cabeça. Como se eu pudesse esquecer disso. Por que ela está mencionando isso agora?

— Sim, mãe — eu digo, erguendo com fraqueza a mão para pegar na dela, o soro puxando minha pele. — Isso foi um ano atrás. Na noite passada eu caí de cara no quintal.

Ela me encara.

— Você está confuso, querido. Você estava... dormindo — ela diz, suas sobrancelhas franzindo. — Em coma.

— Em... o quê? — Eu paro de falar, observando a expressão dela. Quão feio eu bati a cabeça noite passada? — Um coma? Por quanto tempo?

— Oito semanas — ela diz.

O quê? Se foi ruim para mim, Marley deve ter ficado ainda pior. Algo aconteceu com *ela* durante a tempestade?

— Cadê a Marley? — Eu pergunto, mais preocupado a cada segundo sem ter ela comigo.

Minha mãe me olha com os olhos cheios de preocupação. Finalmente ela pergunta:

— Quem é Marley?

Eu congelo, um sentimento de terror crescendo no fundo do meu estômago.

O barulho do metal. O rosto horrorizado de Kimberly. Luzes fluorescentes piscando enquanto sou levado por um corredor.

Mas… isso não faz nenhum sentido.

Onde está Marley?

— Eu preciso sair daqui — eu digo, o pânico apertando meu peito. Tento me erguer, mas minha perna direita se recusa a se mexer. Olho para baixo, frenético, e vejo que minha perna está totalmente engessada e, quando eu tento movê-la, uma dor irradia pelos ossos. Um sentimento de *déjà-vu* me toma. *Déjà-vu* e horror.

— Agora acabou — minha mãe diz, pegando meu braço. — As coisas vão voltar ao normal logo, logo. Você vai ver.

Eu puxo meu braço, soltando a mão dela, e arranco os acessos. Quando tento me levantar, minha perna esquerda cede sob o peso. Eu tropeço para a frente, em cima da minha mãe. Ela ampara a minha queda, tentando manter nós dois de pé.

— Enfermeira! — Ela grita. — Eu preciso de uma enfermeira. Alguém, por favor!

Eu me esforço para continuar me movendo, mas mãos fortes me agarram e algo afiado acerta meu braço. Uma enfermeira… com uma agulha. Eu caio de volta na cama, meus braços e pernas pesados como chumbo. Tudo de repente fica lento e pesado e minha boca luta para formar palavras.

— Eu... não... — eu consigo dizer, meus olhos focando na minha mão. — Kimberly está... viva?

— Claro que está, querido — minha mãe diz, confusa. — Ela vem aqui todo dia.

Espero que a visão termine. Que o resto do mundo se ajuste. Fecho meus olhos e o rosto de Marley queima contra as minhas pálpebras. Seus olhos cor de mel, as sardas no nariz, o cabelo castanho e comprido. O sorriso que desponta em seu rosto quando ela está contando uma história. A forma como ela morde o lábio quando está pensando muito em algo. Mas, quando eu abro os olhos, eu ainda vejo o hospital. Marley não está aqui.

O mundo escurece quando o sedativo me derruba.

Ouço vozes em torno de mim. Minha mãe. Enfermeiras entrando e saindo.

Mantenho os olhos fechados e espero. Pelo silêncio. Pela chance de sair daqui e encontrar Marley.

Logo o meio da noite chega e eu ouço a porta se fechar, o ar quieto e parado, exceto pelo apito do meu monitor cardíaco.

Em um instante, eu me sento e arranco o acesso da minha mão de novo, ignorando o rastro fino de sangue que pinga do meu pulso.

Eu respiro fundo para me preparar, então tiro minhas pernas da cama e minha visão se duplica quando coloco o peso sobre minha perna direita. A dor é tão atordoante que uma onda de náusea toma conta de mim. Mas eu me forço. Eu preciso.

Eu manco para fora do quarto e pelo corredor, meus dedos agarrando a parede para me apoiar, um suor frio colando a camisola de hospital nas minhas costas. Cada passo é uma agonia, o mundo a minha volta ondulando enquanto eu vou até o elevador, a imagem do rosto de Marley me impelindo. O lago. É a única coisa na qual consigo pensar. Eu *preciso* ir até o lago. As grandes portas de metal se abrem e eu entro. Eu engulo a náusea, aliviado por ter chegado até ali. Não posso parar agora.

Os botões piscam para mim, exigindo que eu escolha um número, um andar. Eu tento pensar, mas a dor lancinante na minha perna direita está tornando isso impossível e minha perna esquerda está começando a tremer por causa do esforço para sustentar todo o meu peso.

Os botões piscam, piscam, piscam. Recepção? É esse botão com... a... estrela?

De repente meu joelho bom cede. Eu caio contra a parede do elevador, pequenos pontos pretos preenchem minha visão enquanto minha perna cede completamente.

Só há um pensamento na minha cabeça enquanto deslizo para o chão.

Eu... preciso...

...encontrar...

Marley...

— Kyle — uma voz diz.

Uma mão agarra meu ombro com força e me sacode tentando me acordar.

— *Kyle.*

Eu abro os olhos e o rosto da dra. Benefield flutua lentamente no meu campo de visão. Ela solta uma longa expiração e balança a cabeça, me censurando.

— Sério? — ela diz enquanto eu olho em volta, deitado no chão do elevador.

— Há quanto tempo estou aqui? — Eu dou um gemido quando me sento.

— Me diga você — ela diz, cruzando os braços. — O que deu em você?

Marley.

Eu tento me erguer, mas a dor que irradia da minha perna é tão incapacitante que caio no chão de novo. A dra. Benefield fica de pé olhando para mim por tanto tempo que eu acho que ela não vai me ajudar. Então ela suspira.

— Espere aqui — ela diz.

Eu caio de novo e tento controlar a bile no fundo da minha garganta, empurrada para cima pela dor que vibra por todo meu corpo.

Uma sombra cai por cima de mim. A dra. Benefield. Com uma cadeira de rodas.

Quando ela me põe de volta na cama, ela pede para uma enfermeira recolocar os acessos e aumenta a dose de analgésico em uma tentativa de me dar algum alívio.

Ela resmunga baixo enquanto checa meus olhos com uma lanterna. Eu olho bem para a frente quando ela desliga a luz e fecha a cara para mim, seus olhos de alguma forma bravos e compreensivos ao mesmo tempo.

— Eu não tinha ideia de que você daria tanto trabalho — ela diz quando a enfermeira sai. Eu não digo nada, então ela cutuca a ferida cicatrizando na minha testa. — Visão embaçada? Dor de cabeça? Tontura?

— Não — eu digo. E é verdade. Depois de todos esses meses desejando que elas fossem embora, acordando de pesadelos com dores de cabeça atordoantes, tudo passou.

Ela suspira e se senta de novo na beira da cama.

— Então, quer me explicar o que aconteceu?

Não. Não quero. Mas tento, de qualquer forma.

— Não é aqui que eu devia estar — eu digo a ela. Eu tento não soar tão exaltado, mas não consigo evitar. Eu nunca me senti tão errado na minha vida.

— Ninguém deveria estar num hospital — ela diz com um sorriso seco. — Exceto pessoas como eu, é claro.

— Não é isso que eu quis dizer.

— Onde mais você estaria?

Eu deveria estar em casa, comendo panquecas com Marley ou indo para a lanchonete da cidade tomar café da manhã, o chão ainda molhado por causa da tempestade da noite passada. Eu deveria estar olhando diferentes cadernos amarelos na livraria e decidindo qual é o perfeito para dar a ela de aniversário. Eu deveria estar levando Georgia para passear, me preparando para cobrir a pré-temporada do Ambrose e jogando futebol no parque no próximo sábado com meus amigos.

Eu deveria estar com Marley.

Não de volta ao ponto em que tudo isso começou.

Uma nova onda de dor abre caminho pelo meu corpo e eu aperto os olhos, implorando para os remédios fazerem efeito.

Em coma. Eu estava em coma.

— Dra. Benefield — eu digo quando abro meus olhos para vê-la. — Pessoas em coma... sonham?

— Me diga por que você está perguntando — ela diz —, e eu conto pra você o que sei.

— O.k. Eu tenho... — Faço uma pausa, tentando achar as palavras certas. — Eu não sei como cheguei... *aqui*. Pra mim se passou um ano inteiro desde o acidente. Eu tenho outra vida. Kim morreu. Eu tenho uma namorada. Marley. Mas agora eu estou aqui e todo mundo está me dizendo que eu estava em coma. Que a realidade é... esta. — Eu aponto para o quarto de hospital, mas também para todo esse mundo.

Ela me lança um olhar perspicaz que eu não consigo decifrar.

— Eu sei que isso parece loucura — eu digo.

Ela assente.

— Registrado. Continue.

— Eu preciso voltar pra lá, para a minha vida de verdade — digo, pensando em Marley e Georgia, em nosso lugar no lago, sentindo falta delas com a agonia de um membro amputado. Eu não me importo se minha perna nunca sarar, se meu cérebro continuar confuso. Eu não preciso deles. É de Marley que eu preciso.

Ela franze a testa.

— Eu não entendo. Quando foi isso?

— Ontem.

Ela estuda meu rosto.

— Ontem você estava *aqui*. E no dia anterior também, e no dia anterior ao anterior.

Eu sacudo a cabeça, pensando nas consultas médicas que eu tive, nas vezes em que vim *aqui* para que examinassem minha cabeça, para ter certeza de que não estava enlouquecendo.

— Você também estava aqui — eu digo a ela. — Você era minha médica.

— Você abria bastante os olhos — a dra. Benefield diz. — Mirava bem o meu rosto. Esses sonhos... Você provavelmente me incorporou, ou outras pessoas, dentro deles. — Ela aponta para o monitor cardíaco apitando. — Coisas que você ouviu ou viu podem ter ido parar no seu subconsciente.

Não é incomum em comas. Suas sinapses estavam curando, reconectando, voltando à vida. Eu apenas posso imaginar qual foi a sensação disso pra você aí dentro.

— E a Marley? — Eu respondo.

Ela pensa por um longo momento, e abaixa o tom de voz quando pergunta:

— Sua vida com Marley... Ela parecia uma versão perfeita da sua vida?

Eu sinto uma onda de pavor tomar conta de mim.

Sim.

Eu tinha um trabalho no qual era bom. Uma vida. Eu estava com a pessoa que eu *deveria* estar. Eu estava me tornando a melhor versão de mim mesmo e cada dia ficava melhor.

Ela entende meu silêncio como a resposta que estava esperando.

— Kyle, sua vida está aqui — a dra. Benefield diz, apertando meu ombro. — Seus amigos e sua mãe estiveram nesse quarto todos os dias, esperando e rezando pra você sarar. Perfeitos ou não, eles te amam.

Eu absorvo as palavras dela, mas é tudo confuso demais, a dor é demais, os sentimentos são demais.

Onde ela está?

Os remédios começam a fazer efeito e o mundo desacelera enquanto minhas pálpebras ficam cada vez mais pesadas.

— Durma um pouco agora, o.k.?

Ela apaga as luzes quando sai e minha visão fica embaçada enquanto eu pego no sono.

28

Já é noite quando acordo novamente. O dia todo passou em uma neblina torturante, o remédio mal fazendo efeito.

Eu ouço uma batida na porta e, ao me virar, vejo a dra. Benefield entrando, as mechas de cabelo ruivo escapando do seu rabo de cavalo depois de um longo dia.

— Como você está se sentindo? Você dormiu um bom tempo — ela diz, enquanto puxa uma cadeira para perto da minha cama e se senta nela, apoiando os braços nas pernas.

— Você realmente me dopou — eu digo.

Ela dá de ombros e assente.

— Você estava com dor.

Eu ainda estou com dor. Só não é o tipo de dor que ela está pensando.

Eu olho para o relógio na parede. É bem tarde.

— Você mora aqui ou coisa assim?

Ela dá uma risada.

— Primeiros meses em um trabalho novo, a gente passa muito tempo no escritório.

Minha boca abre. *E foi ela que operou o meu cérebro? É por isso que estou tão ferrado?*

— Primeiros meses *neste* hospital. — Ela dá um sorriso zombeteiro e eu dou um suspiro de alívio. — Eu cutuco os cérebros de pessoas há muito tempo já. Você está em boas mãos.

Ela aponta com a cabeça para a minha perna quebrada, o lençol branco marcando o gesso enorme.

— Você tem ideia de quanta sorte deu por não ter quebrado isso de novo?

Eu viro a cabeça para olhar pela janela, sem querer pensar na noite passada.

Além do mais, eu já curei essa fratura. Com Marley. Isso é uma loucura. Como pode ninguém saber onde ela está? Quem ela é?

— Seu prontuário diz que vão tirar o gesso ainda amanhã, mesmo depois da travessura que você aprontou. Boa notícia, hein?

Boa notícia?

Eu abro minha boca para dizer alguma coisa, mas minhas palavras são cortadas pelo forte barulho de passos que soam no corredor e se aproximam rapidamente do meu quarto. Nós dirigimos o olhar ao mesmo tempo para a porta, que quase é arrancada do batente, e Sam entra correndo.

— Cara, você acordou! Aí sim, irmão! — Ele começa a fazer sua dancinha de *touchdown*, rebolando pelo quarto, seus braços e pernas movendo-se em um ritmo imaginário.

Por um momento eu me lembro dele chorando ao colocar as tulipas no túmulo de Kimberly. É um contraste enorme. Além disso... ele nem deveria estar aqui. Ele deveria estar na UCLA.

Ele paralisa no meio de um rebolado quando vê a dra. Benefield e rapidamente se endireita, pigarreando.

— Ah, *hum*... Eu volto mais tarde.

— Você fica bem aqui, *cara* — ela diz, se erguendo e olhando para mim. — Nós conversaremos mais depois. Se sentir algo estranho peça pra uma das enfermeiras me chamar, entendeu? E *não se mexa*.

Quando eu faço que sim, ela sai, fechando a porta silenciosamente atrás de si.

Sam se vira para me olhar, totalmente em êxtase.

— Cara, isso é tão...

— Há quanto tempo você está apaixonado pela Kim? — Eu pergunto abruptamente, decidindo que a única forma de conseguir saber a verdade é chocá-lo com ela. A boca dele se abre de surpresa, o que me diz que estou certo. Eu não podia ter inventado tudo. Eu *sabia*.

Ele se recupera rapidamente e me lança um olhar cético, apontando para a bolsa de remédios ao meu lado.

— Que tipo de drogas estão te dando?

Eu o encaro por um longo tempo, mas ele não se deixa incomodar.

Eu deixo para lá e tento sorrir, apontando para minha testa.

— Cérebro em coma. Desculpa.

Os ombros dele relaxam e ele cai na cadeira em que a dra. Benefield estava.

— Cara, você ficou fora por *semanas*. De onde raios *isso* veio? — Ele pergunta, me olhando.

Faço uma pausa. Ele provavelmente vai achar que estou doido, mas... tudo já está doido, então que importa? Isso tudo é um sonho, de qualquer forma. Logo vou acordar e estar novamente com Marley.

— Você me disse no futebol de sábado. Depois que a Kim morreu — eu digo e os olhos dele se arregalam. — No acidente. — A boca dele cai e ele tentar falar, mas eu prossigo. — Eu acordei, Sam. Eu acordei um ano atrás, nesse quarto, e *você* estava aqui e você não disse nada, mas você estava chorando e...

— Isso é loucura. Kim está bem...

— Só escute — eu digo, cortando-o.

Então eu arrisco e conto tudo a ele. Sobre Kim não estar mais aqui. Os meses sem fazer nada, desejando que eu também tivesse partido. Nossa briga no parque. As tulipas. Como percebemos o que precisávamos fazer, quem precisávamos ser. O que precisávamos deixar ir.

Mas, principalmente, eu conto a ele sobre a garota no cemitério vestindo o suéter amarelo. A menina que me salvou. A garota por quem eu me apaixonei. Eu conto a ele sobre Marley.

Ele escuta até o fim, uma expressão chocada no rosto.

Depois de um longo silêncio, ele diz:

— Uma alucinação? Um sonho, talvez?

Eu começo a discutir, mas ele me impede.

— *Nada* do que você contou aconteceu de verdade — ele diz. — Você estava em coma. Eu estava aqui. Eu te *vi*, cara, e eu juro que você não saiu dessa cama.

Eu sacudo a cabeça, meu coração batendo alto no peito. Ele está errado.

— Ainda parece real — eu digo, pensando em Marley. — *Ela* parece real.

Ele desdenha e puxa o celular.

— Isso é fácil descobrir — ele diz.

Sim. É claro. Eu me sento, vendo-o abrir o navegador, digitando as letras do nome de Marley e erguendo os olhos para mim em expectativa.

— Marley...

Eu congelo. Marley...? Qual é o sobrenome dela? Eu *sei* que eu sei. Eu reviro meu cérebro, tentando me lembrar de algum momento que ela o tenha mencionado.

Mas eu não consigo. Eu não consigo lembrar se ela me disse. Como isso é possível?

Eu engulo em seco, hesitando.

— Eu, hum. Não sei — eu admito, falando baixinho.

Sam guarda o celular e ergue as sobrancelhas.

— Você estava apaixonado por uma garota sem sobrenome? Você não achou isso estranho?

— Ela tem sobrenome — eu esclareço, ficando irritado. — Eu só não me lembro porque não importava...

— O único lugar em que essas coisas não importam é nos *sonhos*, cara — Sam diz, guardando o celular de volta no bolso. Ele me olha com seriedade. — Eu vou te dizer o que é real. *Kimberly* é real. Kim está viva. Não essa menina do seu sonho. Você não está feliz com isso?

Eu ainda consigo sentir como a lápide de Kim era áspera sob os meus dedos, o peso infinito do luto, como pesava nos meus braços e pernas.

— Claro que estou feliz, mas...

— Ei, família! — Uma voz diz, me puxando de volta para o presente. — É aqui a festa?

Kimberly está parada na porta, carregando uma bolsa de lona com seu braço bom. Sam se levanta rapidamente, a cadeira arranhando o chão de piso frio.

— É! Você sabe.

Eu aperto os olhos, como fiz dezenas de vezes, mas quando os abro, ela ainda está ali, seu cabelo loiro brilhando. Eu não tinha percebido até agora, porque elas pareciam tão reais, mas as visões sempre tinham uma neblina em volta delas. Borrões nos cantos.

Agora... ela está cristalina. Eu consigo ver cada fio de cabelo na sua cabeça. As olheiras suaves sob seus olhos.

E isso me diz que é verdade. Ela está *viva*.

Todas as coisas que eu quis dizer a ela quando pensei que ela estava morta voltam para mim.

Minha garganta se fecha em volta de milhões de palavras.

Mas eu não... entendo.

Os olhos dela encontram os meus e seu sorriso dá lugar a lágrimas, que escorrem dos seus olhos e por suas bochechas.

— Deus, Kyle, eu fiquei tão assustada — ela diz.

— Kimberly... — eu começo a dizer.

— Eu sei, eu sei — ela diz. Ela solta a bolsa no chão e corre para a cama, me envolvendo em seus braços. Mas ela não sabe nada.

Sam faz um movimento para que eu a abrace, mas eu não consigo porque eu estou pirando de vez. Eu não sei como explicar que parece que ela voltou dos mortos, quando para eles fui *eu* quem fez isso. Que não são os braços dela que eu sinto em volta de mim quando fecho os olhos. São os de Marley.

Ela ergue a cabeça, secando as lágrimas.

— Olha pra mim... Eu estou um desastre — ela ri, olhando de mim para Sam. — Vocês estavam discutindo?

— O quê? — Sam diz, sacudindo a cabeça rapidamente. — De jeito nenhum.

— Estávamos só... — eu começo a dizer, mas Sam me corta.

— O Kyle teve um pesadelo. Ou algo assim.

Kimberly acaricia meu peito, sorrindo para mim.

— Está tudo bem. Eu estou bem aqui — ela diz.

Eu hesito, meu corpo todo tenso porque tudo isso parece errado. A única coisa que consigo ver é Marley, sua cabeça no meu peito, nós dois deitados perto do fogo.

Eu ergo os olhos para Sam, por cima dos ombros de Kim.

— Foi só isso — ele diz, seus olhos cavando buracos nos meus. — Só um sonho.

E, de todas as coisas que Sam já me disse, essa é a que mais dói.

29

Depois que Sam vai embora, um silêncio desconfortável cai sobre Kimberly e eu. Eu quero pegar meu celular e olhar para qualquer outra coisa, mas não consigo desviar os olhos de Kim.

É como ver um fantasma. De novo.

Meus olhos a seguem enquanto ela arruma a cama perto da janela e tira um cobertor branco felpudo coberto de borboletas azuis de sua bolsa de viagem.

Eu tenho então a lembrança dela sentada no sofá, enrolada nesse mesmo cobertor, quando eu achava que ela era um fantasma.

As palavras da dra. Benefield retornam para mim. *Você abria bastante os olhos. Mirava bem o meu rosto.*

— Deixa eu ver isso — eu digo. Kim se ergue e vira, me lançando um olhar confuso. Então ela estende o cobertor para mim.

Eu o pego, franzindo a testa ao sentir o tecido, real e tangível na minha mão.

— Você dormiu aqui enquanto eu estava...?

— Às vezes — ela diz, tirando o cabelo loiro do rosto enquanto observa o meu.

— Você me dizia alguma coisa?

Ela suspira, baixando os olhos para o cobertor enquanto assente.

— Eu pedia pra você acordar. Eu dizia "Não me..."

— ..."deixe" — eu digo, completando a frase dela. — Você dizia. "Não me deixe".

— Isso — ela diz, surpresa.

Eu a ouvi. Eu até a *vi*.

Isso significa que todas as visões que eu tive, as coisas que eu pensei que eram pesadelos, todos os momentos estranhos que eu disse a mim mesmo que estavam só na minha cabeça... eles todos eram reais?

Mas então o que isso significa para o restante do que vivi? Para Marley?

— Me desculpa. Por tudo que aconteceu — ela desabafa, sua mão tocando a minha. — O que eu disse, no carro...

— Não — eu digo. — Você estava certa.

Ela parece surpresa. Ela sacode a cabeça e abre a boca para discutir.

— Não. Por favor — eu digo, baixando os olhos para as borboletas no cobertor. As memórias continuam a voltar. A borboleta caindo no lago. Eu deveria estar muito feliz, mas uma tristeza dominadora puxa meu peito, torna difícil respirar. Eu entrego o cobertor para ela, incapaz de olhá-la nos olhos. — Eu só... desculpa. Posso ficar sozinho?

Ela me encara por um segundo. Essa garota que eu amei, uma das minhas melhores amigas, voltou à vida como que por mágica. É um milagre e eu sou um babaca, porque também parece que eu perdi alguém de novo.

— O.k. — ela diz, finalmente, pegando o cobertor. Eu sei que ela está chateada: seu maxilar está tenso, os olhos apertados. É uma expressão que eu já vi centenas de vezes durante nosso relacionamento, é como se uma tempestade silenciosa estivesse nascendo. Ela enfia o cobertor na bolsa e a fecha. Ao se endireitar, ela me lança um olhar longo e comedido. — Acho que te vejo amanhã então?

Conforme a vejo partir, a dor de tudo isso cai sobre mim. Eu aperto o botão de chamada e a enfermeira vem me dar outra dose de analgésicos.

Eu não quero pensar no que é real e no que não é. Eu não quero pensar em por que Kim está aqui e Marley não. Eu quero ficar dopado.

Finalmente os remédios começam a fazer o seu trabalho e por um momento eu sinto alívio.

— E seu felizes pra sempre terminou...

Antes mesmo de abrir os olhos, eu sei que estou de volta onde deveria estar.

Sinto os dedos dela nos meus cabelos, traçando de leve as linhas do meu rosto. Eu aperto a mão dela na minha, segurando-a com firmeza contra o meu rosto. Eu conheço essa pele, esse toque. *Isso* é real.

Marley.

Os dedos dela parecem pequenos embaixo dos meus. Delicados. Eu os aperto e junto coragem, rezando com tudo em mim para que quando eu abra os olhos, ela ainda esteja ali. Eu deixo que minhas pálpebras se abram de leve, espiando, torcendo.

O rosto de Marley está a centímetros do meu, tão perto que eu posso contar seus cílios. Dou um sorriso e a puxo ainda mais para perto, tomado de alegria pela presença dela, a *realidade* dela.

— Deus, como eu senti sua falta — eu sussurro com o rosto coberto pelo seu cabelo. — Onde você estava? Todo mundo ficava me dizendo que...

De repente, ela soluça e se afasta.

— Você prometeu — ela sussurra, sua voz estrangulada enquanto me olha, seus olhos cheios de dor da traição. — Você disse "chega de histórias tristes". Você me prometeu. Isso acaba comigo.

Eu de fato prometi.

Meus olhos se fecham enquanto penso em como contar a ela o que está acontecendo, como eu acordei em um quarto de hospital e meu mundo virou de cabeça para baixo. Eu agarro os dedos dela e puxo sua mão de volta para o meu rosto, querendo dizer a ela que nunca mais vou decepcioná-la. Que eu voltei e tudo está bem agora.

— Marley, eu...

Mas quando eu abro meus olhos, ela se foi.

Ah não. NÃO.

Então eu vejo a sombra dela deixando o quarto.

— Marley, espera! — Eu salto da cama para ir atrás dela.

Mas no segundo em que me movo, eu acordo. De volta ao hospital. Sozinho. Minha perna boa já quase fora da cama.

Eu me esforço para recuperar o fôlego enquanto olho em volta, para as máquinas apitando. Eu sinto os acessos na minha mão. O gesso estúpido em volta da minha perna.

— Marley — eu sussurro.

Eu a *ouvi* e *senti* o toque dela no meu rosto. Eu consigo sentir o ponto exato em que os dedos dela estavam, minha pele ainda vibrando.

Ela era real. Eu estou acordado agora. Meu cérebro não poderia simplesmente tê-la inventado. Certo?

Vejo o rosto dela, as lágrimas, as nuvens que consomem sua expressão.

Você disse "chega de histórias tristes". Você prometeu.

Ouço o vazio das palavras dela, que combina com o vazio que eu sinto a cada segundo que passo sem ela. E é culpa minha, porque eu não consigo voltar para ela.

Acendo a luz e procuro meu iPad na sacola de coisas que minha mãe me trouxe mais cedo. Eu o puxo e abro o Facebook. Clico na barra de busca, digito o nome dela, milhares de resultados surgem na tela.

Eu vou descendo a página, os rostos misturando-se na frente dos meus olhos, cabelos loiros, castanhos, azuis, nenhuma delas é a Marley certa.

Mas eu continuo procurando. Porque ela é real.

Eu sei que é.

30

Na tarde seguinte eu vejo um comercial em que um papel higiênico dança pela tela de TV enquanto tento ignorar a tensão que vem crescendo entre Kim e eu desde que ela chegou aqui, quinze minutos atrás.

Minha mãe saiu para nos deixar "um tempo sozinhos" e eu... eu realmente gostaria que ela não tivesse feito isso.

Com o canto do olho, eu a vejo sentada com braços cruzados, sua perna sacudindo, o maxilar tenso, tudo isso um sinal gritante de que ela está engolindo algo. Finalmente, ela pega o controle remoto da cama e a TV fica escura.

— Kyle. *O que* está acontecendo? — Ela diz, jogando o controle na mesinha de cabeceira.

— Não quero falar sobre isso — eu digo e evito o olhar dela.

Ela empurra a cadeira para trás e se levanta, as pernas da cadeira rangendo alto no contato com o chão, enquanto ela pega sua bolsa de lona e se vira para me encarar.

— Se você só me disser o que está acontecendo, talvez eu possa ajudar — ela argumenta, apertando a bolsa contra o peito.

— Você não pode — eu insisto. Seria impossível para ela entender. Como vou dizer a ela que estou apaixonado por outra pessoa quando ela acha que acabamos de terminar?

— Você não tem como saber — ela dispara de volta, seus olhos azuis faiscando de um jeito que eu tinha quase esquecido como era, suas bochechas coradas de raiva.

Penso em Marley, em todos os dias, todas as horas que nós passamos juntos e nunca brigamos assim. Uma onda de saudade me toma enquanto eu vejo Kim estourar.

Eu me lembro do nosso relacionamento antes. Antes do acidente. Antes de Marley. A pulseira de berloques. Sempre tentando consertar os buracos em vez de olhar para a causa deles.

Não desta vez. Desta vez nós precisamos lidar com isso.

— Olha só a gente. Brigando mais uma vez. Como sempre fazemos — eu digo, tentando manter minha voz estável. — A gente não precisa mais fazer isso, Kim. Quer dizer, nós quase terminamos *sete* vezes. Oito, se você contar a noite do acidente. Nós somos péssimos em nos comunicar. Em lidar com nossos problemas. E provavelmente foi por isso que você não falou nada sobre Berkeley. Porque isso teria causado uma briga, como sempre acontece, certo? É ridículo.

— Então agora eu sou ridícula? — Ela me desafia.

— É sim! — Eu digo, jogando as mãos para o alto. — Nós dois somos. Mas vamos fingir por um segundo que não somos. Vamos fingir que podemos dizer qualquer coisa, desde que seja com honestidade, e a outra pessoa vai ouvir e entender. Sem julgamentos.

Ela parece petrificada, mas fica em silêncio.

— Por que você não me falou de Berkeley? Por algum motivo, você conseguiu contar para o Sam, mas não pra mim. Por quê?

— Eu não sei o que você quer dizer.

— Eu acho que sabe — digo. — Me mantenho firme. Me diga por quê. "Eu quero saber como é me virar e *não* te ver ali." Você estava certa. Por que você está agindo como se nunca tivesse dito isso?

— Se você está tentando se vingar de mim — Kimberly diz, parecendo ferida —, está funcionando.

Ela sai pisando duro, batendo a porta atrás de si. Eu encaro o ponto em que ela estava e solto um suspiro longo e frustrado.

— Ótimo.

Nas horas depois em que ela se vai, eu me sinto inquieto, os quatro cantos do quarto do hospital apertando-se em volta de mim conforme passo mais tempo aqui.

Eu deveria ter dito algo diferente? Eu passei tanto tempo pensando no que diria a Kim se a visse de novo e eu estraguei tudo porque estou obcecado pelo fato de Marley não estar em lugar nenhum.

Eu sinto como se não tivesse espaço no meu cérebro para mais nada. Cada canto da minha mente está se dedicando às possibilidades. Lugares em que ela pode estar. Explicações. Memórias.

Eu enfio a mão na mochila que minha mãe trouxe e pego a caixinha de joias azul, recuperada do acidente. Eu a abro e encaro a pulseira de berloques. Ela parece tão diferente para mim agora. Eu me lembro de a ter observado por horas, pensando que ela faria Kim ver o que tínhamos.

Eu nem sei como explicar para ela o que eu vejo agora. Especialmente quando eu tive um ano inteiro para pensar nisso e ela só teve um minuto.

Um ano inteiro. Eu tive um ano inteiro para me desapegar, para me curar. Eu vivi o que parece ser uma vida toda nova e eu não sei como voltar para ela. Como encontrar Marley. Como encontrar nossa vida juntos.

Eles ficam me dizendo que *isso* é a realidade, mas como pode ser se ela não está aqui?

Fico aliviado quando uma enfermeira traz uma cadeira de rodas para o meu quarto, para me levar para minha primeira sessão de fisioterapia segundos depois da minha mãe me mandar uma mensagem dizendo que vai voltar amanhã para mais um café da manhã cinco estrelas na cafeteria do hospital. Eu encaro meu celular enquanto a enfermeira me ajuda a sentar na cadeira, seu cabelo castanho comprido entrando no meu campo de visão e me lembrando tanto de Marley que eu preciso fechar os olhos com força.

Frustrado, eu deixo minha mãe sem resposta e guardo o celular. Eu não consigo falar com ninguém agora.

Embora, talvez, estar *aliviado* por ir para a fisioterapia seja o jeito errado de me sentir, especialmente quando acaba sendo uma meia hora sofrida em que eu descubro o quão fraco um fêmur quebrado e oito semanas de coma deixam um cara. Até mesmo os exercícios sentados são difíceis. Esticar a perna. Alongar.

Coisas que idosos em uma aula de aeróbica do asilo aparentemente agora fazem melhor que eu.

Eu achei que a recuperação tinha sido difícil da primeira vez, mas isso é totalmente diferente.

— Você está indo bem — Henry, o fisioterapeuta, me diz, suas mãos suspensas a centímetros de mim, esperando.

Ergo os olhos e vejo um sorriso poderosamente otimista emanando energias positivas para mim. Respiro profundamente e agarro com força a barra de apoio, lutando para colocar o peso do meu corpo sobre as duas pernas, mas até mesmo minha perna *boa* cede algumas vezes, então eu caio sobre ela repetidas vezes.

Com um fêmur fraturado, eu deveria estar de pé semanas atrás, tentando recuperar minha força e capacidade de movimento, mas eu estava meio em coma para isso.

Minha perna cede completamente quando a dra. Benefield entra com uma cadeira de rodas vazia.

— Bem na hora do show, doutora — eu digo para ela, tirando o cabelo dos meus olhos.

— Já chega por hoje — ela diz e Henry a ajuda a me levar das barras para a cadeira de rodas. Estou encharcado de suor.

Ela me leva para fora da sala de fisioterapia e corredor abaixo, todo meu corpo exausto. Eu mal posso esperar para voltar para a cama e isso me apavora. Eu não quero ser esse cara de novo, aquele que não conseguia sair da cama. Parece que estou começando tudo de novo.

Eu preciso me distrair.

— Quando foi a última vez que você empurrou uma cadeira de rodas? — Eu a provoco, inclinando o pescoço para ver a dra. Benefield. — Você não deveria ter, tipo, pessoas pra fazer isso?

— Ha-ha — ela diz, balançando a cabeça. — É que eu queria falar com você.

Ela me leva para o meu quarto e estaciona a cadeira de rodas perto da janela. Eu dou uma olhada no meu iPad sobre a cama, a tela ainda ligada, acesa com uma foto de Kimberly, Sam e eu em um jogo. Nós três estamos sorrindo para a câmera com os braços um em volta do outro.

— Posso dar uma olhada? — Ela pergunta, esticando a mão para pegá-lo.

Eu dou de ombros, sinalizando que tudo bem.

Ela passa pelo rolo da câmera, olhando fotos que eu já examinei na noite passada e nessa manhã.

— Revisitando velhas memórias? — Ela pergunta.

Eu balanço a cabeça afirmativamente.

— Procurando por Marley.

Eu aproximei cada pessoa no fundo. Cada rosto nas arquibancadas. Cada passante. Mas não a encontrei.

— Você disse que meu cérebro estava processando coisas que eu via, então eu pensei que talvez a tivesse visto em algum lugar.

A dra. Benefield aperta um botão e a tela fica escura. Ela coloca o iPad de volta na minha mesinha de cabeceira.

— Você encontrou alguma coisa?

— Eu não a inventei — eu ignoro a pergunta dela, tentando achar um jeito de fazê-la entender. De fazê-la me ajudar. — Eu juro.

— É sobre isso que eu queria falar com você — a dra. Benefield diz, dando um passo na minha direção. — Eu pedi a alguém...

Ela é interrompida por uma batida na porta e um médico que eu nunca vi enfia a cabeça para dentro. Ela faz um sinal para ele entrar e continua o que estava dizendo.

— Kyle, esse é o dr. Ronson. Ele é um psiquiatra.

Minhas esperanças morrem.

— Então você acha *mesmo* que estou doido.

Ela se inclina para a frente, me olhando bem nos olhos.

— Eu acho que você está triste — ela diz. — Você passou por muita coisa.

Bom, sim. Claro que estou triste. Eu perdi um ano inteiro. Um ano inteiro e uma vida totalmente nova que eu só estava começando a viver e mais do que tudo isso, *a garota que eu amo mais do que já amei qualquer pessoa*.

E ninguém acredita em mim.

— Só conte a ele o que você me contou, o.k.? Ele pode te ajudar a processar o que você viveu.

Ela dá um tapinha complacente no meu braço e sai enquanto o dr. Ronson puxa uma cadeira para se sentar perto de mim na janela.

— Kyle — ele diz com uma dose irritante de animação. Ele me oferece sua mão e eu a aperto. Ou o aperto dele é superforte ou eu estou fraco mesmo. — Então — ele diz, ajeitando os óculos no nariz, seus olhos apertando enquanto ele me examina. — Como você está?

Eu me controlo para não revirar os olhos e olhar pela janela enquanto começamos a conversar. Eu estou irritado, mas tão desesperado por respostas que não preciso de muito para abrir os portões.

Assim como eu fiz com Sam e a dra. Benefield, eu conto a história a ele. Nossa história. Cada momento que me trouxe até aqui.

E, assim como todos eles, ele lentamente começa a tentar abrir buracos nela.

— Em algum momento ela disse algo que não fazia sentido? Alguém disse?

— Eu não sei — eu digo, frustrado. Eu o confronto, determinado. — Tudo fazia sentido, eu...

— Ou você *fez* fazer sentido? — Ele pergunta, falando por cima de mim. — É disso que estamos falando aqui, Kyle. Sua mente pegou o que você estava ouvindo aqui fora e transformou em um sonho aí dentro?

Ele aponta para a minha cabeça, como se soubesse de tudo.

— Eu podia *vê-la*. *Senti-la.* — Eu digo. Eu nunca poderia ter inventado aquela sensação. — Eu até podia *cheirá-la.* Ela tinha um cheiro doce, como flores de laranjeira, ou jasmim, ou...

Ele abre a janela e um aroma doce entra do lado de fora, fazendo meu estômago contrair mais um pouco.

— Madressilva — ele diz, completando a frase por mim. Ele aponta com a cabeça para o lado de fora. — Ela cresce por todo o pátio. O cheiro é muito parecido com o de jasmim. Ou flor de laranjeira.

— Mas...

Eu tento disfarçar minha decepção e volto meu olhar para um carvalho gigante, a luz do sol escorrendo por entre seus galhos. Eu penso em Marley no parque, a luz do sol brincando no rosto dela, seus olhos cor de mel brilhando para mim.

— Eu sinto muito — ele diz, me encarando. — Mas acontece de algumas pessoas acordarem com memórias de coisas que nunca aconteceram. Nossos cérebros inconscientes processam estímulos externos de formas que às vezes se traduzem em...

— Sonhos — eu digo, cortando-o. — É, eu entendi.

31

Minha mãe me empurra pelo pátio do hospital depois do café da manhã enquanto eu continuo minha busca por todos os perfis de Marleys em um raio de trezentos quilômetros no Facebook. Não importa qual filtro de busca eu use, até agora não deu em nada.

Tento pensar em novos filtros que eu possa acrescentar à pesquisa. Eu reviro minhas memórias em busca de menções ao sobrenome dela, mas não encontro nada.

A escola dela? Eu preparo meus dedos ansiosos sobre o teclado, mas meu cérebro não tem para onde mandá-los. Um ano inteiro e eu nunca perguntei a ela sobre isso? Nenhuma vez?

Eu quase posso ouvir o dr. Ronson: *"isso faz sentido, Kyle?".* Babaca.

Quanto mais eu penso, mais faz sentido, na verdade, eu não saber essas coisas. Eu penso em todas as vezes que Sam me disse que eu estava focando as coisas em mim. Meu maldito egoísmo. Nós passamos tanto tempo falando de mim quando Marley e eu estávamos juntos que deve haver centenas de coisas que eu esqueci de perguntar a ela.

Isso simplesmente quer dizer que eu não estava prestando atenção em ninguém além de mim.

Só mais um dia no mundo de Kyle.

Meus olhos embaçam quando eu volto a olhar os perfis procurando os traços dela, seu sorriso familiar, mas a frustração me vence aos poucos.

Desligo o iPad com um suspiro. Quer dizer, quem ainda usa o Facebook além da minha mãe e as amigas dela? Não me surpreende ela não estar lá. O Sam desativou o dele ano passado.

Instagram. Eu preciso tentar o Instagram.

Olho em volta, para as árvores frondosas e os arbustos do jardim que ocupa todo o centro do hospital. Há flores coloridas por toda parte, emoldurando pequenas plantas e enrolando-se em volta das raízes das árvores.

Eu congelo quando meus olhos notam um canteiro de lírios cor-de-rosa, idênticos aos que brotavam no túmulo de Laura. A brisa quente traz consigo o cheiro doce das madressilvas que crescem em volta do carvalho e meu estômago revira quando o rosto do dr. Ronson surge na minha mente.

A cadeira de rodas freia quando nos aproximamos de uma enorme fonte central. Eu estendo o braço para tocar a pedra de leve e pequenas brumas de água flutuam na minha direção.

Uma flor cai lentamente no meu colo e eu a pego, encarando-a. Quando ergo os olhos, eu vejo cerejeiras ladeando a trilha, ondulando suavemente com o vento. Por um momento, eu me lembro das pétalas rosa claro idênticas em volta de Marley, seus olhos fixos nos meus naquele dia no parque.

Eu faria qualquer coisa para voltar para aquele momento. Um momento que todo mundo e todas as coisas estão tentando me fazer questionar.

Eu amasso a flor entre os dedos e, então, minha cabeça cai sobre as minhas mãos. Uma única flor de alguma forma está trazendo consigo uma pequena onda de dúvida. E isso me apavora.

— O que foi? — Minha mãe pergunta.

— Você acha que é verdade? — Eu pergunto, jogando a flor no chão. — Você acha que Marley realmente se foi?

Minha mãe para de empurrar a cadeira de rodas e se ajoelha a minha frente, seu rosto sério. Como em todas as vezes que eu mencionei Marley.

— Ela não se foi, querido. Ela nunca esteve aqui.

Ela fala com tanta certeza. Como se não fosse nada.

Eu a encaro de volta. Eu preciso fazê-la entender.

— E se você acordasse amanhã e eu tivesse sumido e todo mundo te dissesse que eu nunca existi? — Eu pergunto baixo. — Você deixaria de me amar, mãe?

Eu a vejo hesitar, sua mão procura o apoio de braços da minha cadeira: só pensar nisso já é demais para ela. Lágrimas enchem seus olhos e os dedos dela tocam o meu braço e o aperta, quase como se ela estivesse checando se eu realmente estou aqui.

— Eu também não consigo — eu sussurro.

À tarde, quando minha mãe vai embora, eu pego meu iPad da mesinha, mas de alguma forma eu não consigo me convencer a procurar no Instagram imagens de todas as Marleys do mundo. Eu sei por instinto que ela não tem uma conta. Quer dizer, ela se recusava a escrever no computador, preferindo escrever num caderno. Ela nunca teria um Instagram.

Então o que eu devo fazer? Como vou achá-la?

— Posso entrar?

Eu ergo os olhos e vejo Kimberly na porta, seu braço sem tipoia, uma pequena tala azul em volta do pulso. Seus olhos azuis fixam nos meus. O fogo se foi, substituído por algum tipo de compreensão. Ela está me olhando como se me entendesse melhor do que eu mesmo posso.

— Sam me contou — ela diz. — Da sua outra vida.

Sua outra vida. As palavras são como facas. Eu tento me conter, me controlar. Mas as lágrimas caem, não importa o quanto eu lute contra elas.

Ela corre até mim, me abraçando.

— Tudo bem — ela diz, me abraçando enquanto eu choro. — Vai ficar tudo bem.

Ela não me força a falar. Ela só fica sentada comigo, em silêncio, deixando que eu me acalme o suficiente até pegar no sono. Eu só encontro alívio na escuridão atrás das minhas pálpebras. Por um momento que seja, nada dói. Nada está de cabeça para baixo. Nada é.

Quando eu acordo algumas horas mais tarde, eu sinto um corpo morno ao lado do meu.

Eu sei que é Kim. Mas eu aperto os olhos e finjo que é Marley.

— Eu sei que você acordou — Kim diz, me cutucando na lateral do corpo, seu dedo acertando uma costela saltada, um efeito colateral da dieta líquida do coma.

Eu suspiro.

— É o que todo mundo me diz.

Há uma batida na porta e nós viramos rapidamente nossas cabeças e vemos a figura grande de Sam preenchendo o espaço.

— Ei — ela diz, sem tirar os braços de mim e de alguma forma eu me sinto culpado. Mas, infelizmente, a cama hospitalar não é muito grande, e se eu me mover, eu vou cair no chão de piso frio.

— Certo — Sam diz, passando os olhos entre nós e pigarreando. — O.k. Bom. Eu vou...

A voz dele falha e ele se vira, voltando para o corredor. Nós o observamos ir, o som de seus passos sumindo com a distância.

Eu penso nas tulipas.

— O que há com ele? — Ela pergunta, confusa.

— Você... devia ir atrás dele — eu digo, analisando o rosto dela.

Ela me olha.

— Por quê?

— Eu acho que você sabe por quê. — Tanta coisa parece errada desde que eu acordei, mas essa parte do mundo de sonho e do mundo real parece igual.

Eu me ergo, passando uma mão pelo rosto. A dinâmica entre nós três ficou mais clara desde que eu acordei de qualquer mundo em que eu estivesse, desde que eu passei um ano inteiro sendo forçado a lidar com a vida sem ela. E eu não quero perdê-la de novo. Não assim. Mas eu também não posso segurá-la.

Não mais.

Se Sam é a Marley dela, ele é real e ele está aqui. Ele a entende quando ela está com raiva e triste. Ele é a pessoa com quem ela pode ser totalmente ela mesma.

— Você acha que as pessoas deviam se acomodar? — Eu pergunto a ela. — Mesmo não sendo o que elas querem?

Ela solta um longo suspiro e passa as pernas para fora da cama, levantando-se para andar de um lado para o outro. Eu a vejo prender o cabelo em um coque bagunçado, pronta para retomar a nossa briga.

— Eu nunca disse que estava me acomodando. Eu sinto muito pela noite do acidente...

— Eu não — eu digo, cortando-a.

Ela para e me olha.

— Quando eu pensei que você estava morta, tudo que me sobrou foram as últimas palavras que você me disse. Eu repeti essas palavras na minha cabeça várias vezes.

— Kyle, escuta. Eu...

— Me deixa terminar. Eu preciso dizer isso, o.k.?

Ela faz que sim, acha a cadeira atrás de si e, então, se senta lentamente.

— Naquela noite, eu não estava pronto para te escutar porque... eu tinha medo de que você estivesse certa. — Eu ergo os olhos e vejo os olhos dela arregalados de surpresa. Ela *definitivamente* não esperava isso. — Mas eu não sou mais o mesmo Kyle que eu era. Me virar e não te ver ao meu lado... Eu achava que esse era o pior pesadelo possível. Mas... me virar e saber que *não havia mais você,* em lugar nenhum? — Eu solto uma respiração curta, me lembrando da dor. O ano que eu passei pensando que ela estava morta. — Merda, Kim. Isso acabou comigo.

Ela não diz nada, suas mãos seguram os braços da cadeira com força.

— Mas eu ainda tinha suas palavras. Eu finalmente as escutei. E eu aprendi a ficar sozinho. Eu aprendi quem eu era e quem eu *queria* ser — eu digo, pensando em Marley. O estágio. Aulas de jornalismo. — Eu aprendi quem eu *sou*. Sem você.

Ela está chocada, em silêncio. Isso nunca acontece. Eu sigo falando, finalmente dizendo as palavras que eu precisava dizer, mas que nunca conseguia encontrar.

— Nós nos acomodamos, Kim. Você e eu. E não estávamos felizes.

Ela abre a boca. Uma vez. Duas. Tentando achar as palavras. Elas finalmente vêm.

— Quem é você e o que você fez com Kyle Lafferty?

— Ah, esse cara? — Eu dou um pequeno sorriso. — Ele era um menino egoísta, então eu o deixei comendo poeira. Eu cresci. Ou... estou crescendo — eu digo, enquanto ela seca lágrimas do rosto. — Bom, estou tentando — admito.

Ela se levanta e me lança um olhar longo e incerto, sem saber o que acontece de agora em diante.

Eu estendo o braço.

— Vem cá. — Ela corre para os meus braços e eu a aperto com força, suas lágrimas caindo na minha camiseta. — Você é minha melhor amiga, Kim. Eu quero que você seja feliz — eu digo a ela. — Em *Berkeley*. Vai encontrar o que você ama. Encontre *alguém* que você ame. Encontre a pessoa que você não pode viver sem. Ele está em algum lugar.

A pessoa que eu não posso viver sem. Eu penso em Marley. Como era ter todo meu mundo nos braços. Como é tê-lo arrancado de mim.

— É, certo — Kim diz com um sorriso choroso enquanto se afasta. Ela pega um lenço de papel e assoa o nariz.

— Sei lá, você poderia até ter um date com o Sam...

As palavras mal saíram da minha boca e ela já me atacou com seu braço agora bom.

— Você é um tonto — ela diz, agindo como se eu tivesse dito a coisa mais louca do mundo.

Eu agarro a grade da cama, sorrindo, enquanto me seguro. Mas eu vejo. Nos olhos dela. Esse *pensamento*. Essa faísca de possibilidade.

— Não se acomode de novo, o.k.? — Eu digo depois que me endireito. — Nunca. E eu também não vou.

Ela assente, e nós apertamos as mãos.

— Prometo.

Eu respiro fundo e com determinação quando a mão dela deixa a minha.

Pela primeira vez desde que acordei, eu me sinto um pouco mais perto de ter paz. Porque eu não vou me acomodar.

Eu não vou desistir enquanto não tiver Marley nos meus braços de novo.

32

Estou em casa.

Minha casa, mas também *não*. O mundo no qual eu vivo agora está escoando mais e mais, cada vez que eu fecho os olhos. É estranho, até assustador, o quanto meus sonhos estão mudando.

— *Kyle*.

Sigo a voz por um corredor, as paredes se apertam em volta de mim enquanto eu luto para voltar para ela – tinta descascada dando lugar às paredes pálidas do hospital, a TV padronizada, a grande janela no canto.

Finalmente a encontro na mesa da cozinha. Eu consigo vê-la, mas… quase não vejo.

Aperto os olhos, me esforçando, de tão pálidas que estão as cores.

— Tudo vai mudar agora, não vai? — Ela pergunta, sua voz a mesma de sempre. Porém mais triste agora.

Tento, com todas as minhas forças, chegar mais perto dela, abraçá-la de novo, mas meus pés não se movem. Minhas pernas se esforçam, lutando para dar um passo que seja na direção dela. Eu olho para baixo e vejo que meus pés estão presos em grama e lama, as flores de cerejeira do lago espalhadas em torno dos meus tornozelos.

No segundo que eu olho para ela de novo, eu volto para o quarto do hospital, os lençóis bem enrolados em volta do meu corpo, o suor em gotas na minha testa e a perda me consome de novo.

Algumas horas depois, a voz dela ainda ecoa na minha cabeça enquanto eu agarro as barras de apoio na sala de fisioterapia. Eu coloco uma quantidade comedida de peso na minha perna, cuidadosamente dando um passo depois do outro. A única pausa que dei em minhas incansáveis pesquisas nos últimos dois dias foi nos momentos de descer para a sessão com Henry, os torturantes exercícios de perna que ele me passa são uma tentativa de me distrair de tudo.

Mas não importa o quanto eu tente focar nas minhas pernas hoje, em deixá-las mais fortes, eu não consigo escapar do sonho que tive noite passada.

A cada dia o mundo a minha volta fica menos embaçado, mas isso quer dizer que a cada dia ela parece mais e mais distante, o sonho no qual eu morei por um ano desmanchando-se, rachando e mostrando suas falhas toda vez que eu durmo.

— Eu queria poder fazer isso por você — uma voz diz.

Eu paro, trêmulo, e vejo Sam. Até minha perna boa parece tão fraca quanto um palito de dentes, mas de alguma forma Sam parece ainda pior.

— Você faria, não é? — Eu pergunto a ele. — Você passaria por isso no meu lugar se pudesse.

Sam revira os olhos, como se fosse uma pergunta idiota, mas assente.

— Claro, cara. Você faria o mesmo por mim.

Eu engulo em seco, cambaleando, e Henry nota. Ele agarra meus braços para me dar um apoio extra.

— Vamos fazer uma pausa, o.k.? — Ele diz enquanto me ajuda a sentar na cadeira de rodas, deixando nós dois sozinhos um pouco.

Eu estou tentando não viver nos meus sonhos, mas então lembro daquele dia no cemitério. A conversa que Sam e eu tivemos foi verdadeira, mesmo que ela nunca tenha acontecido. Então talvez precisemos tê-la agora.

— Eu tenho sido um amigo de merda pra você — eu digo.

Sam sacode a cabeça rapidamente.

— Não...

— Você mesmo disse isso. Kim tentou terminar comigo sete vezes desde o nono ano — eu digo, erguendo os olhos para ele. — Você prestou atenção nisso. Por quê?

— Hum — Sam diz, franzindo a testa e apertando os olhos quando me olha de volta. — Eu não me lembro de dizer isso.

Certo. Não foi um bom começo.

— Bom, não importa, é a verdade. Você me ajudou a ver a perspectiva dela e você a ajudou a ver a minha — eu explico. — Toda vez, Sam, você me ajudou a reconquistá-la.

Eu penso em ontem, em como ele foi embora quando nos viu juntos.

— E agora você está tentando fazer isso de novo. Por quê?

Sam desvia os olhos, dando de ombros.

— Porque você é um bom amigo. Bom demais — eu digo, dobrando minha perna magrela. — Eu percebi várias coisas.

E embora eu estivesse dormindo, muito do que meu cérebro estava processando era real. Há um motivo pra Kimberly e eu nunca termos conseguido realmente nos acertar.

Sam parece irritado comigo, mas eu insisto.

— Isto não é sobre a Marley. Ou eu. É sobre *você*, Sam. Faz muito tempo que você não é o foco das coisas. Se você a ama como eu acho que ama, diga a ela como se sente.

Sam acerta minha garrafa d'água bem quando estou com ela quase na boca.

— Qual é, cara. Isso é uma merda. Ela está indo pra Berkeley e quer um espaço pra ela — ele diz. — Além disso, você acabou de sair de um coma e vocês dois acabaram de terminar.

Ela disse a ele que nós terminamos. Isso *tem* que contar alguma coisa.

Eu dou outro gole, tomando cuidado para ficar longe do alcance dele dessa vez.

— Ela queria espaço de *mim*. Ela falou com *você*. Ela ainda está aqui. Você não quer que ela saiba?

— Se você está certo ou não, não importa. Você não pode controlar tudo — ele diz, com o semblante sério. — Você precisa deixar as pessoas serem quem são, sabe? Assim como você tem que ser quem é. Não importa se com Kim, Marley ou ninguém. Você não pode *fazer* alguém te escolher.

Ficamos um tempo em silêncio e eu lanço a garrafa de água para ele, meu braço de lançamento intacto mesmo pós-coma.

— Isso foi sábio pra caramba — eu digo para ele enquanto ele pega a garrafa com uma expressão de superioridade no rosto.

— Você sabe que eu sou o cérebro desse time, cara. — Ele ri e finge enfiar a garrafa d'água embaixo do braço e sair correndo, desviando comicamente da minha cadeira.

As piadas, as conversas sem rodeios. As coisas finalmente parecem bem entre nós. Como pareciam no mundo de sonho.

— Quer comer uma pizza? — Ele pergunta, apontando com a cabeça em direção à porta. — Fiquei sabendo que a cafeteria tem uma ótima de pepperoni.

Eu dou risada.

— Isso é pergunta que se faça?

Eu já estou destravando as rodas da cadeira e sei muito bem que a pizza de pepperoni da cafeteria é horrível, mas preciso fugir da prisão.

Em dois segundos, Sam está com as mãos nas alças da cadeira e nós saímos em disparada pela porta e para o corredor, voando para fora da sala de fisioterapia antes que Henry possa notar que eu sumi.

33

Ela está aqui.

Eu sei disso imediatamente, embora não consiga vê-la.
Eu persigo sua sombra pelo corredor da minha casa, a tinta
descascando ainda mais que da última vez, mas ela está sempre um pouco além do alcance, seu cabelo desaparecendo
nas curvas, sua mão escorregando da minha.

— Eu disse que eu não podia ser feliz assim — a voz dela
diz ao meu lado, mas quando eu me viro para vê-la, eu acordo.

Eu me sento, ofegante, meus olhos examinando o quarto
de forma automática em busca de algum traço dela que tudo
e todos me dizem que não vou encontrar.

Minha cabeça cai para trás no travesseiro, eu esfrego minhas mãos no rosto e respiro longa e profundamente.

Quando eu inspiro, ali está… o cheiro dela. Flor de laranjeira. Ou… eu reviro meus olhos. *Madressilva.*

Eu levanto a cabeça na direção da janela e inspiro de
novo, mas não sinto nenhum cheiro. Ele some com a mesma
rapidez com que veio.

Suspirando, eu me viro e puxo o cobertor acima da cabeça.

É nesse momento que o aroma de flor de laranjeira e madressilvas me toma, como se ele estivesse costurado ao cobertor. Eu respiro mais fundo e sei que não vem do jardim. Nunca veio.

É o cheiro de *Marley.*

De alguma forma, ela esteve aqui. Ela esteve aqui de verdade.

Eu acendo as luzes, pego minhas muletas e me esforço para sair da cama. Quando me endireito, vou até a janela aberta e olho para fora, a luz do início da manhã jogando um brilho acolhedor sobre todas as plantas do pátio.

Vejo as rosas amarelas, sua cor chamando minha atenção. Sorrindo, vejo Marley e o vestido amarelo que ela usou na última noite em que estivemos juntos.

— Você é amarelo — eu digo, ainda sentindo o tecido sob os meus dedos. — E Laura amava... — eu noto os lírios, plantados bem em frente ao canteiro de rosas, rosa e amarelo bem ao lado um do outro.

Se o dr. Ronson estivesse aqui, ele diria que isso é uma prova tangível de que eu inventei isso também.

Mas eu sinto um calafrio.

Porque eu percebo o idiota que fui. Volto o mais rápido que posso para a cama, pego meu iPad e abro o Google. Digito *Marley + Laura + acidente* e alguns resultados surgem diante dos meus olhos.

Sam me encontra cercado por post-its, cada um representando uma Marley diferente, suas localizações em quilômetros anotadas ao lado dos nomes.

— O que está acontecendo aqui? — ele pergunta, preocupado, pegando dois post-its para ler. — Marla e Laurie, acidente, 140 quilômetros? Marley, Laura, acidente, 3.000 quilômetros? Cara, eu pensei...

Eu ergo mais um, mostrando a ele.

— Marley, Lara, 10 quilômetros.

Ele me encara, piscando, sem entender o que eu estou dizendo.

— Essa tem que ser ela — eu digo, contando a ele sobre o cheiro dela no meu cobertor essa manhã, as flores, a epifania que eu tive. Explico para ele a pesquisa que fiz, detalhando como eu passei o dia procurando combinações das palavras "Marley", "Laura" e "acidente de carro", artigos do país inteiro rapidamente nas pontas dos meus dedos.

Depois disso, foi uma questão de eficiência. Coordenadas da cidade em que o acidente aconteceu, uma leitura rápida do primeiro parágrafo para encontrar os nomes e seguir para o próximo.

No final, havia um mar de post-its na minha frente. E eu fiz uma seleção até chegar nesse.

Um único post-it amarelo. A chave que eu estava procurando.

— *Dez* quilômetros de distância, cara. E a história faz sentido. — Eu deslizo pelo artigo no meu iPad e o leio para ele. — Lara, catorze anos, foi morta por atropelamento por um veículo na rua Glendale na tarde de ontem. — Eu olho para Sam e nós dois fazemos uma careta, essas palavras horríveis parecendo estranhas perto de tanta animação.

— Sam, isso é quase exatamente o que aconteceu com a irmã de Marley. A *dez quilômetros* daqui. Tudo faz sentido —

eu digo, pegando o post-it animadamente. — Eu te disse que ela era real. Agora eu só preciso ir até lá.

Ele não diz nada por um minuto inteiro e então, finalmente, sacode a cabeça.

— Não.

— O que você quer dizer com não? — Eu pergunto a ele, sacudindo o post-it na frente dele. — Eu a encontrei.

— Não, não encontrou — ele diz, pegando o post-it da minha mão. — Mesmo que ela seja a Marley "certa", ela não te conhece. Você estava dormindo. Esquece, cara. Eu não vou te ajudar a aterrorizar uma pobre garota.

Eu pego o papel de volta.

— Você não precisa fazer nada. Você só precisa me levar até lá. — Eu não vou ter alta antes de mais algumas semanas porque a dra. Benefield ainda está monitorando minha atividade cerebral e isso definitivamente não é algo que pode esperar. Eu disse a Marley que nunca a deixaria, e agora ela vai pensar que eu a abandonei. Não posso deixá-la passar por isso. Por nenhum dia a mais.

— Como você sabe onde ela mora? — Ele pergunta incrédulo.

Eu ergo meu iPad para ele e mostro as coordenadas do GPS daqui até o endereço dela, que eu descobri com a ajuda do artigo. Havia uma fala do pai de Lara, Greg Ellis, a respeito do acidente.

Embora eu não tenha encontrado nada on-line a respeito de uma Marley Ellis, eu encontrei muita coisa sobre Greg. Incluindo seu endereço.

Nós podemos chegar lá em menos de vinte minutos.

— O Google é assustador — ele diz, sacudindo a cabeça.

— Sam — eu digo, sério. — Eu preciso vê-la. Saber se ela se lembra de mim.

— Se lembra de você? De onde? De todas essas noites em que ela se banhou em perfume de jasmim, entrou escondida no seu quarto de hospital e se esfregou no seu cobertor?

Eu jogo uma das minhas muletas no chão e pego o iPad de volta.

— Vai se ferrar, então. Não me ajude.

Ele se direciona para a porta e eu sei que tenho uma última jogada.

Eu sou uma pessoa horrível por usá-la, mas estou desesperado.

— Você me deve.

Sam se vira, confuso.

— O quê?

— Quando eu disse que ouvi você falando comigo... eu ouvi *tudo* que você disse, Sam. Tudo. — Eu vejo o rosto dele empalidecer, seus olhos se arregalarem quando ele percebe do que estou falando.

— Você me deve. Por aquele passe errado. Pelo meu ombro. Pela minha carreira.

Sam ergue as mãos, sacudindo a cabeça. Eu acertei bem na mosca.

— Espera... Eu sinto muito...

— Então prove! — Eu digo enquanto ergo o post-it. — Me ajuda. Tudo que estou pedindo é que você acredite em mim, Sam. É ela. Eu *sei* que é ela.

As sobrancelhas escuras dele se juntam enquanto ele pensa, seus olhos mirando o iPad brilhando na cama.

— Eu sei que eu te devo e eu realmente tentei ser o melhor amigo que posso ser — ele diz suavemente. — Nem sempre consegui fazer isso. Eu não devia ter deixado você ser pego de surpresa na escolha de Berkeley da Kimberly. Eu devia ter contado pra você o que eu sentia pela Kim, mesmo se eu não fosse fazer nada com isso. Eu devia ter te ajudado a encontrar outra coisa além do futebol e de nós três pra focar. — Ele passa os dedos pelo cabelo, engolindo em seco. — E você está certo... eu deveria ter bloqueado aquele *lineback*. Eu devia ter *te protegido* e eu me torturo por causa disso desde então. — Ele levanta os olhos e olha bem para mim. — Mas eu não fiz. E aprendi minha lição. Agora eu sei como ser um amigo de *verdade*. Não só um bom amigo.

Ele vai me ajudar. A culpa que eu sinto por usar essa carta com Sam é engolida pelo meu alívio. Eu pego o iPad e puxo a muleta do chão.

— Ótimo. Pegue minha carteira — eu digo e aponto com a cabeça para a mesa na frente dele. — Vamos...

— Não — Sam diz, essa única palavra me fazendo travar, a voz dele firme. — Isso sou eu protegendo você. Da forma correta. — Ele respira fundo e aponta para o iPad, o endereço ainda na tela. — Essa menina não te conhece, Kyle. Ela não é a Marley. Não existe nenhuma Marley. Então supere sua vida de sonho e comece a viver sua vida real. *Esta vida.*

Ele se vira e sai pela porta, fechando-a com um estrondo atrás de si. Eu olho para o endereço, a pilha de post-its formando uma camada fina sobre a minha cama.

Parece uma completa loucura.

Mas a única coisa mais louca seria desistir dela.

34

Eu aperto os olhos fingindo que estou dormindo enquanto espero a enfermeira da noite sair. Abro um olho e a vejo apagando as luzes, seus traços desaparecendo na escuridão enquanto eu prendo a respiração. No segundo em que a porta se fecha atrás dela, eu entro em ação.

Eu chamo um Uber e acerto o ponto de encontro a uma distância segura da entrada do hospital antes de passar minhas pernas pelo lado da cama e me levantar, minha perna ruim quase entrando em colapso com o peso.

Respirando fundo, eu me firmo, pego minhas muletas para me apoiar e cambaleio até o armário. A mochila preta que minha mãe trouxe está no fundo e eu pego um calção da Nike e uma camiseta. Eu os visto o mais depressa que posso, o que não é nada rápido, minha perna tem dificuldades de compreender a urgência de toda essa operação.

Eu espio o corredor, olhando para os dois lados.

Nove da noite, logo depois que eles me examinam, a hora perfeita para agir. O final do expediente também deixa vazio o posto de enfermagem, o que é ideal para que eu possa mancar do meu quarto até a saída sem ser pego.

Eu respiro aliviado quando as portas do hospital se fecham atrás de mim, minha fuga quase completa.

Onde está meu Uber?

Eu foco na entrada do hospital com ansiedade, meus olhos indo da estrada principal para a porta e voltando, rezando para que John em um Prius vermelho chegue antes de eu ser arrastado de volta para o meu quarto. Eu tento parecer calmo enquanto espero, mas só a ideia de ver Marley em alguns minutos faz meu coração saltar no peito. Ela vai estar com raiva? Ela vai confiar em mim de novo? Como foi esse tempo para ela? De alguma forma, eu sei que ela vai entender tudo isso.

Eu vejo o brilho de faróis e o Prius reduz a velocidade até parar na minha frente. Eu abro a porta e deslizo rapidamente para dentro. Minha cabeça está confusa e minha perna latejando, mas eu já passei por coisas muito piores.

Nós saímos e eu observo o tempo diminuir no GPS, o espaço entre mim e Marley diminuindo a cada segundo. A estrada voa embaixo de nós, o amarelo que divide as faixas me deixando mais perto dela.

Logo estamos virando na rua Glendale e desacelerando até parar em frente a uma modesta casa branca de esquina com uma árvore enorme no gramado da frente. Um sentimento desconfortável toma meu estômago quando eu olho para as flores murchas em volta da varanda, a grama precisando de corte.

Isso não é... bem o que eu imaginava.

Eu olho para o meu celular e vejo que é quase nove e meia. É muito tarde? Ela vai abrir a porta?

— Você quer que eu espere? — O motorista pergunta e eu hesito por um segundo.

Então sacudo a cabeça, negando. Marley está lá dentro. Eu não tenho por que ir embora. Eu me esforço para sair do carro e fico estático enquanto vejo o veículo sumir na distância.

A cada passo que dou eu fico mais nervoso, a dor na minha perna cresce a cada segundo e meu coração está disparado no peito.

Logo apenas a porta está entre nós. Eu me apoio nas muletas, encarando-a.

Um pato de cerâmica está empoleirado em cima de uma placa de "Bem-vindo". É um sinal. Isso me faz seguir em frente.

Eu estendo a mão devagar e, depois de um longo tempo, meus dedos apertam a campainha. Um único toque agudo soa e eu rapidamente puxo a mão.

Eu prendo a respiração, ouvindo atento até escutar passos se aproximando. Uma onda de tontura passa por mim, mas eu luto contra ela. A fechadura gira lentamente, então a maçaneta vira e a porta se abre.

Estou tão ansioso por vê-la que é difícil para mim entender o homem corpulento, de meia idade e com a barba cerrada que aparece diante de mim.

A curiosidade dele vira apreensão quando ele me vê.

— Sim?

— Oi — eu digo, pigarreando. — Hum, Marley está em casa?

Ele me examina.

— De onde você conhece minha filha?

E só de ouvir isso a dúvida evapora e o alívio entra em mim. Eu sabia.

— Senhor, eu... — Eu começo a dizer, mas paro quando uma menina que eu nunca vi espia por trás dos ombros do pai, seus olhos arregalados me encarando.

Ela não deve ter mais que dez anos de idade.

— Marley — o cara diz apontando para mim com a cabeça. — Você conhece esse cara?

Seus olhos pequenos e redondos encontram os meus e o medo dela é como um chute na minha cara. Ela é apenas uma garotinha. Mas como pode ser? Eu achei que todos os sinais apontavam para Marley. Essa casa.

A menina sacode a cabeça, mas eu já estou cambaleando para trás, tentando sair logo daqui, lembrando dos pontos falhos no artigo de jornal que eu ignorei em minha empolgação.

Lara, não Laura. A irmã dela, mas nada mencionava gêmeas. Atropelada *à noite* em vez de manhã. Eu só achei que talvez meu cérebro em coma tivesse entendido errado alguns detalhes.

— Desculpa — eu consigo dizer. — Casa errada.

Eu me viro o mais rápido que posso, correndo desesperado pelos degraus da frente, minha visão se fechando. Como se isso já não fosse ruim o suficiente, uma das minhas muletas escorrega na metade do caminho. Eu piso em falso e bato no chão com força, perdendo todo o ar quando meu corpo se esparrama no gramado no quintal.

Engasgando, luto para recuperar o fôlego enquanto o pai trota atrás de mim pelos degraus.

— Por que você está aqui? — Ele pergunta com a voz raivosa.

Pego minhas muletas. Preciso me levantar, mas todo meu corpo está gritando.

— Eu errei a casa. Desculpa. — Eu suspiro e me iço para cima.

Eu o ouço gritar por cima do ombro para sua filha:

— Pra dentro, Marley. — Só ouvir o nome dela é suficiente para quase me derrubar de novo, mas eu continuo.

Chego até um poste na rua e desmonto contra ele. Olhando para trás, eu vejo o pai me observando da varanda, com raiva, então eu continuo lutando, tropeçando até o meio fio no final da quadra.

Eu deslizo até conseguir me sentar sob o brilho do poste, minha visão embaçando.

Não era ela. Se ela está aqui em algum lugar, essa era a minha chance. Nenhuma das outras fazia sentido.

O que quer dizer que ela não está aqui.

Nunca esteve.

Tiro as mãos do rosto quando ouço o carro de Kim encostar. Ela para bem na minha frente. Sam está no banco do passageiro, uma expressão preocupada no rosto.

Eles vieram no segundo em que eu liguei, como sempre fizeram.

Os dois saem e me ajudam a levantar da calçada, me colocando em segurança no banco da frente, meu corpo exausto demais para que eu faça isso sozinho.

Nós três ficamos sentados em silêncio, os braços de Sam apoiados no painel, seus olhos baixos.

Eu me sinto um idiota completo.

— Você estava certo. Eu devia ter te escutado.

Ele sacode a cabeça com tristeza e solta o ar longamente.

— Eu devia ter vindo com você.

— Não — eu digo, derrotado. — Você sabia que não seria ela.

— E é exatamente por isso que devia estar aqui — ele diz, frustrado consigo mesmo embora *eu* seja o culpado por tudo isso.

— Você está aqui agora — eu digo, minha voz falhando. Eu pego a mão de Kimberly, mas ela a afasta e me puxa para um abraço apertado a ponto de esmagar meus ossos.

Ela é mais forte que a maior parte dos caras do time de futebol mesmo com um braço numa tala.

— Eu não sei o que eu faria sem vocês — eu digo, meus olhos encontrando os de Sam por cima do ombro dela.

Sam se inclina por cima do assento para passar os braços por nós dois, lágrimas escorrendo pelos rostos de todos nós.

Nós nos afastamos e eu esfrego os olhos, tentando me recompor.

— Me desculpem por isso.

Kim me dá um sorriso triste; todo desconforto que sentíamos um com o outro desde que eu acordei está completamente apagado. Ela estende o braço e aperta a minha mão.

— Eu sinto muito por você ter perdido sua Marley — ela diz, com sinceridade. — Eu sei como é o seu jeito de amar, Kyle, e se você a ama assim, então...

— Eu estou muito fodido — eu digo e nós três rimos através das lágrimas.

Então minha risada cede e eu só choro.

Porque Marley não é real.

35

Na manhã seguinte, a dra. Benefield checa meu acesso enquanto minha mãe fica parada no canto com os braços cruzados. As duas definitivamente não ficaram contentes com minha fuga noturna. Depois de examinar minha perna e piscar uma luz nos meus olhos, ela solta um longo suspiro.

— O que você fez noite passada foi muito, muito estúpido. Você podia ter machucado sua perna de novo, gravemente — ela diz enquanto pendura uma pequena bolsa de morfina conectando-a à intravenosa, claramente decepcionada por eu precisar novamente disso.

— Eu não preciso disso — eu digo e a mão dela congela no ar.

— Kyle, apenas aceite o remédio — minha mãe diz. — Você estava com tanta dor na noite passada que mal conseguia falar.

Eu a ignoro e mantenho meus olhos na dra. Benefield.

— Tem certeza? — Ela pergunta, arqueando a sobrancelha. — Você não vai impressionar ninguém aqui bancando o durão. Embora talvez a dor te impeça de causar problemas.

Eu tento retribuir o sorriso, mas ele sai duro.

— Eu cansei de correr atrás de sonhos.

Ela aperta minha mão de leve.

— Não está com dor, então?

— Não desse tipo. — Eu sacudo a cabeça.

Uma pontada de compaixão passa pelo rosto dela e ela remove a bolsa.

— O.k. — ela diz, apontando para o botão de chamada. — Se mudar de ideia, só...

— Não vou — eu digo, cortando-a. Depois de um ano vivendo em um sonho é hora de saber o que é real.

Ela assente e me estuda por um momento antes de ir embora. Eu me enrolo na cama, virando de costas para a minha mãe, tomado pelo sentimento de perda tão familiar que me consome. Porque o que me vem à mente não são os dias importantes, como quando fomos para o Festival de Inverno ou celebramos o Halloween. São todos os momentos pequenos e desimportantes com os quais eu não me importei. Dar pipoca para os patos juntos, ou vê-la fazendo um dos seus buquês, ou passear com Georgia. Coisas que eu achei que faríamos centenas de vezes.

Tudo se foi.

Na tarde seguinte, finalmente encontro forças para sair da cama. Para encarar o mundo. Minha mãe me leva pelo corredor até o pátio, onde o sol quente faz a água em volta da fonte brilhar.

— Vou pegar um sanduíche rapidinho — ela diz, apontando com a cabeça para o café que fica do outro lado do pátio. — Quer alguma coisa?

Eu sacudo a cabeça, negando, e dou um pequeno sorriso.

— Não vou fugir enquanto isso. Não se preocupa.

Ela aperta meu ombro e segue pela trilha, desaparecendo de vista.

Eu olho em volta, para as cerejeiras. A madressilva. As flores amarelas e cor-de-rosa, suas pétalas misturando-se.

Ela nunca foi real, mas tudo que eu vejo me lembra dela.

Quão doido é isso?

Eu vejo Sam vindo na minha direção, suas mãos enfiadas nos bolsos enquanto ele esmaga as pétalas sob seus pés sem notar.

— Você está bem? — Ele pergunta quando chega mais perto.

Eu faço que sim e tiro meus olhos das pétalas pisadas.

— Sim. E você?

Ele faz que sim, se senta ao meu lado no banco e nós dois ficamos em silêncio. Por fim, Sam o quebra:

— Kim quer vir mais tarde, se você estiver a fim de companhia.

— Você vai vir com ela? — Eu digo, cutucando-o.— Tipo, *com* ela?

Sam se mexe, desconfortável, esfregando a nuca.

— Sabe, cara, não passou tanto tempo aqui fora quanto no seu mundo de coma — ele diz, me dando um pequeno sorriso. — Nós vamos sentir as coisas. Talvez ver como estamos quando ela voltar pra casa nas férias de outono. Então deixa isso quieto por enquanto.

— Isso não é um não — eu digo com um sorriso.

Sam ri.

— Você está certo. Isso não é um não. — Ele para e me examina. — E você? O que vem agora?

Respiro fundo, olhando para as cerejeiras, a luz do sol escorrendo pelos galhos.

— Não tenho ideia — eu digo, vendo as pétalas caírem lentamente, meus olhos encontrando os da minha mãe enquanto ela volta, um café na mão, um biscoito na outra.

Deixo que a onda de luto passe por mim, tentando impedir que ela me carregue.

Eu consegui seguir em frente uma vez e foi a coisa mais difícil que precisei fazer. Mas isso parece um milhão de vezes pior. Eu entendo agora o que Sam quis dizer aquele dia no campo.

Nunca vou esquecê-la.

Eu ainda a amo. Nunca vou conseguir deixar de amá-la. Então que raios eu faço com isso?

Naquela noite, quando eu abro meus olhos, eu *sei* que estou sonhando de novo. O rostinho de Georgia aninhando-se no meu, cobrindo minhas bochechas de beijos.

Eu dou um sorriso triste e faço carinho nela. Isso pode ser um sonho, mas isso não quer dizer que pareça menos real. E eu não me importo porque é exatamente onde quero estar.

Eu preferiria viver para sempre nesse sonho do que viver fora daqui sem Marley.

Eu olho além de Georgia e meus olhos registram o resto da sala.

Amarelo.

Por toda parte.

A roupa de cama, as luminárias, até mesmo o teto. As paredes estão cobertas com as mesmas rosas amarelas do pátio.

Então eu a vejo.

Marley.

Ela está parada na beira da cama, usando um vestido amarelo comprido, seu cabelo castanho jogado por cima de um ombro. Eu a encaro, o rosto dela claro pela primeira vez desde o primeiro sonho, como se agora que eu parei de procurar por ela em toda parte, meu cérebro pudesse finalmente deixá-la entrar. Consigo ver suas sardas, os toques esverdeados de seus olhos, o rosa profundo dos seus lábios que se viram para baixo. E é como se eu tivesse esquecido quão linda ela é. *Como* eu poderia ter esquecido?

Abro meus braços e ela vem em minha direção, aninhando-se em mim.

Eu sei que não está acontecendo, mas eu consigo *sentir* o corpo dela contra o meu, tão real quanto costumava parecer.

— Não consigo te deixar — eu sussurro para ela, cheirando o jasmim quente do seu cabelo. Não, não é jasmim. É madressilva. Do pátio.

Ela olha para mim, seu rosto está triste. Havia tanta coisa que eu queria perguntar a ela nos outros sonhos, mas nada disso importa agora. Eu só quero abraçá-la pelo tempo que puder.

Eu não vejo os lábios dela movendo-se, mas eu consigo ouvir sua voz sussurrada ecoando pelo amarelo do quarto em que estamos.

— Ele estava acordado agora. Vivendo duas vidas diferentes. Uma com ela…

A porta do quarto amarelo se abre e, sentados do outro lado do meu quarto de hospital, uma cena de hoje mais cedo passando bem diante dos meus olhos. Eu, Kimberly e Sam rindo enquanto comemos M&Ms genéricos e balas de goma que Kim comprou na lojinha na recepção do hospital.

— ... e outra com eles — sua voz continua.

Eu me vejo através da porta, minha figura se congelando subitamente e virando-se para me olhar de frente. Meus lábios se movem, mas é a voz de Marley que sai.

— Não esqueça.

Nunca.

Eu a puxo para perto de mim, apertando-a com mais força quando a chuva começa a cair a nossa volta, encharcando as luminárias e o papel de parede com rosas amarelas começa a descascar da parede. A única coisa que permanece seca somos nós e a cama em que estamos deitados, Marley bem aninhada nos meus braços.

Os jatos de água chegam cada vez mais perto, fechando-se ao nosso redor. Eu luto para manter meus olhos abertos, para me manter ali mais alguns minutos. Mas meu cérebro eventualmente toma conta e, contra minha vontade, eu acordo no meu quarto de hospital, onde ainda é meio da noite. Braços vazios. Sozinho.

A água bate com força na minha janela e me assusta.

Ela para abruptamente e começa de novo alguns segundos mais tarde. Começa e para, várias vezes, e o som ocupa o quarto.

São os irrigadores. No pátio.

Eu me viro de lado, dando as costas para a janela, minha perna gritando de dor. Frustrado, eu me viro de costas, mas não consigo ficar confortável no colchão duro pra caramba do hospital.

Viro minha cabeça para olhar o lado de fora, observando o irrigador atacar o vidro com um barulho alto. Vejo um pequeno caracol arrastando-se lentamente pela janela. Eu o observo vencer o caminho.

Eu quero dizer a ele para só ficar parado e esperar. Não há por que lutar. Mas de repente, sem aviso, ele é puxado do vidro por um par de dedos que somem de vista tão rapidamente quanto surgiram.

Hein?

Olho com mais atenção, e noto que tem alguém lá fora no pátio. Eu me levanto da cama, pego minhas muletas e me arrasto até a janela. Uma garota com roupas escuras está do outro lado do vidro, andando de um lado para o outro do pátio, tirando os caracóis do caminho do irrigador e os deixando em segurança.

Dou um sorriso triste para mim mesmo, observando-a olhar em volta, achando mais um e colocando-o em cima do banco, pousando-o com cuidado sobre a madeira.

Eu congelo quando ela se vira e a luz do poste ilumina seu rosto.

Marley.

Meu coração acelera umas três vezes, meu estômago derrete e revira. Eu aperto os olhos e tento me acordar. Me puxar para fora desse segundo sonho cruel. Mas quando eu os abro, ela ainda está lá.

Isso é real.

Antes que eu possa processar o que estou fazendo, estou correndo para fora do quarto e voando pelo corredor. Eu quase alcanço a porta antes de uma enfermeira entrar na minha frente e bloquear o caminho.

— Pra onde você acha que está indo dessa vez? — Ela me pergunta, cruzando os braços. — Você está determinado a quebrar essa perna de novo? Nada de excursões noturnas, garoto.

Eu tento passar por ela, indo da direita para a esquerda desesperado, mas ela é rápida demais para um cara de muletas com apenas uma perna funcional.

— Droga... — eu digo, frustrado. Eu preciso ir para o pátio. Eu preciso alcançá-la antes que eu a perca outra vez. Ela está aqui. Não há neblina. Nenhum conflito entre meus sonhos e a realidade.

— Sério? — A enfermeira diz, puxando uma muleta debaixo do meu braço.

Eu cambaleio e agarro a parede para me segurar, mas fica óbvio que eu não vou muito longe desse jeito.

— Vejo vocês logo mais — uma enfermeira de uniforme azul diz para as que estão no posto, ignorando nosso combate. Ela passa por nós. — Me mandaram para a cardiologia até o fim da semana.

Eu lanço um olhar para ela e meus olhos se arregalam quando vejo seus olhos, seu cabelo castanho e comprido, a ruga em sua testa, tudo isso despertando uma memória. O rosto dela me olhando de cima quando eu acordei, sua voz chamando a dra. Benefield no corredor.

Os traços são iguais aos de Marley, só que mais velhos. Cabelo castanho comprido, lábios rosados, olhos quentes cor de mel, mas os dela têm ruguinhas nos cantos.

Eu a vejo passar pelas portas duplas.

E então... eu me lembro.

Essa é a enfermeira que me examinou na noite que eu fugi do hospital. A enfermeira que me levou para a primeira sessão de fisioterapia.

Eu estava distraído demais procurando Marley para prestar atenção nas coisas ao meu redor.

— Puta merda — eu falo alto e a enfermeira bloqueando meu caminho me olha feio.

Eu dou um sorriso de desculpas e ela me devolve a muleta, me guiando até meu quarto. Eu corro para a janela. Eu chego bem a tempo de ver a mulher com uniforme azul chamar Marley, levando-a embora, para fora do pátio. É a mãe dela. Tem que ser.

Minha cabeça vai explodir.

Volto para a cama e me afundo nela.

— Puta. Merda.

Ela é real. Marley é *real*.

Pego meu telefone na mesinha e começo a mandar uma mensagem para o Sam, mas as palavras saem erradas não importa o que eu tente dizer. Então, em vez disso, eu vejo minhas chamadas recentes e ligo para Kimberly.

Tiro o telefone da orelha e rapidamente desligo depois do primeiro toque.

Não. Não ainda. Eu preciso ter cem por cento de certeza dessa vez.

Cardiologia. A enfermeira disse que estaria na cardiologia esta semana. E se ela está na cardiologia esta semana, talvez isso signifique que Marley também vai estar.

Deito na cama e olho para o teto, um sorriso surgindo nos meus lábios.

36

Na noite seguinte, dou uma checada rápida no meu cabelo no espelho do banheiro enquanto lavo as mãos. Eu vejo a mecha rebelde fora do lugar, mas nem tento ajeitá-la. Marley nunca pareceu se importar com isso.

Meu rosto ainda está magro por causa do acidente e das semanas em coma. Ela vai me reconhecer? A cara de doente é provavelmente minha menor preocupação *nesse sentido.*

Pego as muletas e me preparo, apago a luz e sigo para o corredor. Eu me certifico que a mesa das enfermeiras está vazia antes de seguir, me escondendo atrás de portas e cantos enquanto sigo na direção da placa que diz CARDIOLOGIA em grandes letras pretas.

Ao entrar, eu procuro por ela em silêncio.

Médicos, enfermeiras, faxineiros, todos estão distraídos com suas pranchetas ou monitorando os pacientes. Mas nada de Marley. Eu tento uma sala de espera, e depois outra, passando pela segunda porta e vendo as cadeiras todas vazias. Ela não está em lugar nenhum.

A única coisa ali é um livro aberto, virado para baixo em uma das cadeiras verdes. Eu ando até ele e o pego, analisando a complexa capa floral antes de folhear as páginas.

É uma história de amor, duas pessoas decididas a terminarem juntas. E começa com "Era uma vez..."

Antes de colocá-lo de volta no lugar, percebo algo familiar na capa. Imagens da noite do acidente surgem na minha cabeça: as luzes florescentes piscando enquanto sou levado pelo corredor; um médico carregando uma criança, lágrimas caindo pelo rosto do menininho; uma mulher mais velha arrastando um tanque verde de oxigênio atrás de si; *uma menina de cabelo castanho comprido lendo um livro.* Este livro.

Eu olho para a porta e é aí que fico cara a cara com os mesmos olhos cor de mel daquela noite. Os olhos com os quais sonho há semanas.

Mas, dessa vez, eles são de verdade.

É ela.

Marley.

— É você — eu digo, observando-a e me movendo na sua direção o mais rápido que minhas muletas permitem. — Eu não te inventei.

Algo nela parece diferente. Ela está mais pálida. Mais magra. As olheiras empalidecem a cor vibrante dos seus olhos e os escurecem. Seus ombros estão curvados, inclinados para a frente, como se ela estivesse escondendo algo que não quer que ninguém veja.

E, para completar tudo isso, ela está vestida da cabeça aos pés com cores escuras, do cinza escuro do moletom até os sapatos pretos.

Não há nenhum traço de amarelo. O que aconteceu?

— Marley — eu digo, estendendo a mão. — Sou eu. Kyle.

Quando eu me movo na direção dela, no entanto, ela sai correndo da sala e desaparece atrás de uma curva. Eu ajusto minhas muletas embaixo dos braços para segui-la, mas quando chego no corredor, não sei para que lado ela foi. Ela sumiu.

Vejo a mãe dela no final do corredor e congelo. Sei que preciso desistir e voltar para o quarto, então eu saio da cardiologia e volto para minha ala do hospital. Quando chego lá, eu desmonto na cama e solto o ar longamente.

Eu a vi. Ela *me* viu. Ela é real... mas fugiu. Meu estômago contrai pela milésima vez. Isso não pode ser bom. Uma garota literalmente fugir correndo de você.

Agora que consegui identificá-la de antes do coma, isso significa que meu cérebro criou uma personalidade toda nova para ela?

Eu sequer a conheço?

Ela me conhece?

Exatamente vinte e quatro horas mais tarde, volto para a mesma sala de espera da cardiologia, na esperança de que Marley esteja lá de novo. Viro ao final do corredor e a vejo em uma das cadeiras de couro verde.

Ainda é tão chocante quanto era dois dias atrás. Vê-la depois de ter desistido. Vê-la tão diferente.

Seu cabelo comprido emoldura seu rosto e ela está focada em um livro aberto no seu colo. Na cadeira ao seu lado está uma bolsa para livros, aberta.

Ela deve sentir a minha presença porque sua cabeça se ergue de repente e, quando ela me vê, ela se assusta. Eu dou um passo pequeno na direção dela, mas ela sacode a cabeça, se levanta e corre para o banheiro, batendo a porta atrás de si.

— Marley! — Eu a chamo. — Você me conhece. — Mas então eu hesito. — Não conhece?

Lentamente, eu me aproximo da porta do banheiro, bato de leve e apoio minha cabeça na madeira.

— Eu não queria te assustar. Desculpa se assustei. Eu só preciso saber se você é a Marley que eu acho que é, ou se eu só vi seu rosto e então inventei todo o resto sobre você. — Me ouvir dizendo isso faz tudo parecer ainda mais doido do que eu esperava.

Paro de falar e prendo a respiração, esperando que não pareça que eu a estou perseguindo. Como ela não diz nada, eu prossigo:

— Apenas, por favor, você pode me dizer se me conhece? Me dizer se você é… você.

Espero por uma resposta, mas um minuto inteiro se passa e nada.

Penso na menina, a Marley errada, e quão assustada ela estava. Eu estou fazendo a mesma coisa. Eu sou um idiota de achar que ela me conhece e que eu a conheço. Quer dizer, eu estava dormindo esse tempo todo.

Por que eu nunca considerei que, mesmo se ela fosse real, ela podia não me amar?

— Desculpa. Eu… *merda*. — Eu dou um passo para longe da porta, sacudindo a cabeça. — Desculpa. Estou indo embora.

Eu me xingo. Quando eu vou entender? Na pressa para sair, minha muleta esquerda se enrola em algo e, quando eu me esforço para me endireitar, eu ouço um barulho alto atrás de mim. Eu olho para baixo e vejo a alça da bolsa dela presa na muleta, a bolsa aberta no chão.

Ótimo. Agora ela vai achar que eu estava fuçando nas coisas dela.

Eu pego a bolsa, recolho alguns lápis soltos que rolaram para o chão.

Mas quando eu os coloco para dentro, eu vejo a ponta de um caderno amarelo vivo.

Eu olho mais uma vez para a porta fechada antes de pegá-lo com cuidado. Na frente, escrito em uma letra bonita e familiar, está o nome dela: *Marley Phelps*.

— Você tem um sobrenome — eu murmuro. *Toma essa, Sam.*

Antes que eu tenha a chance de pensar melhor, eu abro em uma página aleatória e meus olhos se arregalam quando eu vejo o que está escrito nela.

É a descrição do nosso Halloween, exatamente como aconteceu. Ou como eu sonhei, acho. A fantasia que usei de jogador zumbi, a hora que joguei toda a tigela de doces para as crianças, os braços dela se erguendo para soltar sua concha.

Eu continuo olhando, lendo pequenos relances enquanto folheio. O Festival de Inverno, a adoção de Georgia, comer cachorro-quente perto do lago.

Está tudo bem ali.

Estou tremendo. Se tudo isso estava só na minha cabeça, como ela sabe?

Meus olhos recaem sobre uma última palavra. "Contadora de Histórias". Então penso na nossa conversa no parque. Quando ela me disse qual era a melhor parte de contar histórias.

O público. Sem um público, uma contadora de histórias está só falando com o ar, mas quando alguém está escutando...

Alguém estava escutando. *Eu* estava escutando.

Rapidamente, fecho o caderno e o guardo, mas quando o faço, uma pena cai da parte de trás e flutua lentamente para o chão.

Uma pena de *pato*.

Eu a ergo na direção da luz, sorrindo. É ela. E eu a conheço sim.

E ela me conhece. Pelo menos parte dela conhece, embora a gente nunca tenha se conhecido de verdade.

Lentamente, eu coloco a pena em cima do caderno e tiro do meu bolso uma pétala de flor de cerejeira que eu peguei no pátio mais cedo. Eu a coloco em cima da pena, esperando que ela veja.

Esperando que, para ela, isso também signifique alguma coisa.

37

Estou impaciente, esperando do lado de fora da entrada principal do hospital, de olho se Kimberly aparece no estacionamento. Checo meu relógio pela milésima vez, resmungo, e espero que ela não se atrase muito. Esse realmente não é o momento para operarmos no Fuso Horário da Kim.

São quase sete e dez. Ela vai perder.

Finalmente, sob as luzes do estacionamento, eu vejo a cabeça loira dela flutuando por entre os carros estacionados.

Eu aceno freneticamente para ela, parecendo um doido.

Ela corre o restante do caminho, seu rosto meio confuso, meio divertido.

— O quê? Qual é o grande segredo?

Pego a mão dela e a levo para trás de um dos grandes pilares de pedra na entrada do hospital.

— Kyle...

Eu coloco um dedo sobre a boca dela e aponto para a porta com a cabeça. Ela espia por trás do pilar. Eu observo por cima do ombro dela, prendendo a respiração. Menos de um minuto depois, Marley e sua mãe, a enfermeira Catherine, saem da recepção e andam na direção do estacionamento.

— O quê...

— Shh.

Catherine se vira, apressando Marley, que está alguns passos atrás dela.

— Marley? Venha logo, querida.

Os olhos de Kim se arregalam e ela agarra meu braço, apertando-o com toda força.

— Ai-meu-*Deus* — ela sussurra, animada. Agora é ela que está quase surtando.

Eu sorrio como se eu tivesse acabado de ganhar na loteria.

— Há quanto tempo você sabe? — Kimberly pergunta assim que voltamos para o quarto.

— Três dias. Eu queria ter certeza. E... — Eu pego meu iPad e o mostro para ela. — Todas as coisas que eu estava contando a vocês sobre ela são verdade. Olha.

— Volta um pouco, calma, espera, *pare* — ela diz, enquanto tenta recuperar a calma.

— O acidente que eu falei? Era real. Eu não prestei atenção nesse porque foi do outro lado do país, mas aqui está. — Eu levanto o post-it que diz 3 *mil quilômetros de distância* e entrego a ela o iPad com o artigo de jornal sobre a morte de Laura. Quando eu descobri o sobrenome de Marley, todas as peças entraram no lugar. Eu pesquisei um pouco mais e até consegui encontrar uma foto de Laura e Marley sorrindo, uma vestindo rosa, a outra amarelo.

Kim passa os olhos pelo artigo com um sorriso largo até chegar ao final dele. Então seu rosto fica sério. Em silêncio, ela desliga o iPad e o coloca na minha cama. Ela está pensando seriamente em algo. Finalmente, ela diz:

— Por que você está contando isso pra mim? Por que não para o Sam?

— Porque você estava certa — eu digo, dando um pequeno sorriso. — Sobre tudo.

Eu me levanto e vou saltitante até o armário. Reviro a mochila que minha mãe trouxe até meus dedos encontrarem a caixa de joias azul.

Sento na cama ao lado dela e a entrego. Ela abre a caixa e seus olhos se arregalam quando vê a pulseira de berloques ali dentro. Agora a pulseira tem um pequeno berloque de Berkeley que eu encomendei no Etsy semana passada para substituir o da UCLA.

— Kyle, eu...

— Kim, você ainda é minha melhor amiga — eu digo. — E agora eu preciso da sua ajuda porque... você me conhece melhor do que qualquer um. Até mais do que o Sam.

Os lábios dela tremem enquanto ela coloca a pulseira. Em seguida ela joga os braços em torno de mim, os pingentes fazendo o barulho característico de quando se encostam. Rindo, eu a abraço de volta, acrescentando:

— E porque você sabe como eu fico doido quando se trata de amor. Eu preciso que você mantenha meus pés no chão.

Ela concorda, gabando-se:

— Nossa, se eu sei...

Nós nos afastamos e ela seca a corrente de lágrimas que caiu dos seus olhos e, acenando a cabeça com determinação, diz:

— Certo, então. Qual o plano?

Na noite seguinte, depois que minha mãe vai embora, estou indo para a lojinha do hospital comprar um lanche e congelo quando vejo Marley de costas para mim, encarando uma vitrine com barras de chocolate. Suas mãos estão enfiadas nos bolsos do seu moletom preto enquanto ela decide, como se ela não fosse acabar comprando um Kit Kat.

Hesitante, fico alternando o olhar entre ela e os buquês prontos na vitrine, até que tenho uma ideia.

Pego algumas flores diferentes e paraliso quando vejo um pato amarelo de pelúcia sentado na prateleira ao lado dos cartões. Ele é igualzinho ao que Marley ganhou no Festival de Inverno, mas sem a roupa de Papai Noel. O pato da história dela.

Eu o pego e a sigo até o caixa, ela tem um Kit Kat na mão. Isso me faz sorrir. Eu a conheço sim.

Gentilmente, coloco a margarida no balcão do caixa, de frente para ela. Suas costas enrijecem.

— Uma margarida. Eu *espero* que você saiba o que significa — eu digo. Ela não se vira para me olhar. Ela não diz nada. Mas seu olhar fixa nas pétalas brancas. — Suas palavras, Marley, me deram uma *nova vida* — eu digo e coloco um fino galho de cerejeira no balcão. Em seguida uma hortênsia, igual à que ela me deu. — Palavras que você escreveu pra mim. Leu pra mim. Palavras pelas quais eu sou *grato*.

Ela ainda não se vira, então eu sigo tentando e coloco uma peônia solitária em cima da pequena pilha que está se formando.

— Eu me sentiria tão *abençoado* se você as pronunciasse de novo, Marley. Agora. Enquanto estou acordado. Por favor?

Então eu tiro a rosa amarela, a última flor. Sua flor favorita.

— Por favor, fala comigo. Como você fez antes.

Ela desvia os olhos, seu cabelo castanho cobre seu rosto formando uma barreira entre nós. Então, porque eu não tenho mais nada a perder a essa altura, eu tento uma última coisa.

Com suavidade, eu coloco o pato de pelúcia em cima da pilha, minha última chance, a cartada final.

— Eu tenho certeza de que ele gosta de pipoca.

Eu prendo a respiração enquanto ela pega o pato – algo a tocou. Ela o analisa enquanto eu espero, torcendo para que ela diga algo.

Mas ela coloca o pato no balcão, pega seu chocolate e vai embora sem dizer uma palavra. Eu a vejo sair, deixando as portas de vidro se fecharem atrás dela. *Droga*.

— Você sabe que é pra escolher entre os arranjos prontos? Não pode pegar flor e misturar — o atendente, irritado, diz atrás do balcão.

Eu pego um pacote de batatas e entrego dois dólares. Eu quero dizer a ele que fiz isso porque as flores têm significados diferentes, mas em vez disso eu só resmungo algo para me desculpar, sabendo que a única pessoa no mundo que se importa com isso acabou de sair pela porta.

— Você não pode controlar tudo — Kim diz para mim na manhã seguinte pelo FaceTime. Ela está arrumando seu quarto, se preparando para Berkeley, a pulseira de berloques no pulso. Ela me lança um olhar entendido através da tela. — É diferente pra ela do que é pra você, Kyle. Bem diferente.

Eu suspiro. E sei que ela está certa. Foi diferente para Marley. Ela estava contando uma história para um cara em coma. Uma história que ela nunca achou que eu fosse ouvir.

Mas ela teria inventado essa história para mim, inventado toda uma vida para nós dois, se ela não desejasse de alguma forma que ela pudesse ser real?

— Você não pode convencê-la de que ela viveu algo que não viveu. Ela claramente está lidando com alguma merda. Você sabe bem como é isso.

— Então o que eu faço? — Eu não sei para onde ir a partir daqui.

Kim dá de ombros.

— Você precisa aprender a falar com *essa* Marley.

Eu encosto com força em cima dos travesseiros.

Como eu faço isso se *essa* Marley sequer fala?

38

Alguns dias depois, vou para a área externa do hospital e Marley está no café do pátio. Kim passou boa parte da manhã xeretando o hospital, tentando descobrir mais informações. Quando ela parou para comprar um café gelado, ela deu de cara com Marley e me avisou.

Agora que estou aqui, porém, eu não tenho ideia do que fazer.

Olho de relance e vejo que Marley está com a cara enterrada num livro, o cabelo cobrindo o rosto. Eu a observo por um momento, a forma como ela está sentada me faz lembrar os raros momentos em que ela falava de Laura, quando as histórias tristes que ela se recusava a contar jogavam uma sombra sobre ela.

Dou uma olhada no cardápio e vejo que eles servem chá gelado. Outra ideia surge na minha cabeça. Como se esse momento fosse destino.

Uma forma de falar com essa Marley. Eu posso escrever.

Faço meu pedido curiosamente específico e roubo uma caneta do caixa para escrever um bilhete na parte de trás do recibo.

Marley. Você achou que eu não fosse te ouvir, mas eu ouvi. Eu ouvi suas histórias, os contos de fadas. E vivi um... com você. Eu sei que você não tem essas mesmas memórias, mas você foi meu mundo inteiro enquanto eu dormia. Sinto falta de te ouvir. Por favor fale comigo de novo. Quando você estiver pronta, eu estarei aqui.

Eu vou até ela e coloco o copo de chá gelado bem na sua frente, com o bilhete ao lado. Seus olhos se erguem.

— Chá verde gelado, sem açúcar, com hortelã fresca. Sua bebida favorita no verão.

Olho para o lugar vazio ao lado dela, mas não me sento. Lembro bem do quão hesitante ela era no mundo de sonho. Não quero forçar demais.

Vou até uma mesa a alguns metros de distância e me sento em uma das cadeiras, puxo meu celular e finjo estar olhando para ele.

Ela não lê o bilhete imediatamente.

Nem ao menos tira a cara do livro, e seus dedos desenham círculos na página a sua frente.

Mas então, com o canto do olho, eu vejo a mão dela parando abruptamente, imóvel em um ponto, seus olhos agora fixos nos meus garranchos.

Ela fecha o livro, se levanta e eu tento desesperadamente voltar minha atenção para o Instagram, mas não adianta. Não consigo evitar.

Ergo os olhos e a vejo olhando para mim. Os olhos dela encaram o meu olhar pela primeira vez fora do coma e, então, vejo indecisão neles. Eu prendo a respiração, mas em vez de vir até mim, ela se vira e vai embora do café, de volta para o hospital, com o livro enfiado embaixo do braço.

Eu olho para o chá gelado intocado, o suor do copo molhando o bilhete, a tinta se borrando e misturando as palavras.

Com um suspiro, eu mando uma mensagem para Kim dizendo que ela já pode me encontrar no café. Alguns minutos depois ela aparece e se joga na cadeira a minha frente vestindo um par de óculos escuros, o café gelado ainda na mão.

— Certo — ela diz, com sua cara de eficiente. Ela está levando seu papel muito a sério e correu pelo hospital como uma agente secreta. — Demorou um pouco pra encontrar alguém que pelo menos soubesse de quem eu estava falando, mas finalmente fiz uma enfermeira falar comigo durante a troca de turnos. Ela fica aqui quando a mãe dela está trabalhando — ela diz, puxando um cronograma organizado por cores e erguendo seus óculos de sol para a testa.

— Como você conseguiu isso…?

Kim observa em volta, ainda agindo como uma espiã e olhando com desconfiança para uma mesa ao lado da nossa.

— Não pergunte — ela diz, passando os olhos pela folha e apontado para um bloco azul rotulado CATHERINE PHELPS. — Enfim, a mãe dela trabalha em turnos de doze horas às segundas e terças e de sexta a domingo. Eles deixam a Marley ficar por aqui porque ela é quieta. Ela lê muito. Dá uma volta pelo hospital todo dia antes de almoçar sozinha perto da fonte.

Ela dá de ombros e passa o cronograma para mim por cima da mesa.

Eu o dobro e enfio no bolso, bem impressionado com quanta coisa Kim descobriu, mas ela ainda não acabou.

— Mas sabe qual a coisa mais estranha? Você não é o único com quem ela não fala. Ela não fala com ninguém. Então eu não tenho certeza de que você conseguirá fazê-la ceder.

Mas eu sei que posso. Porque já aconteceu antes. Ela pode não falar com mais ninguém, mas em um momento ela falou comigo. Isso é suficiente, mas não tenho como explicar para Kim agora.

Kim se inclina para trás e dá um gole longo e pensativo em seu café gelado.

— Mas eu me pergunto por quê? Quem se recusa a falar se é capaz?

Eu penso no cabelo de Marley cobrindo seu rosto, seus braços cruzados com força sobre o peito enquanto ela ia embora, contraindo cada parte de si, como um caracolzinho.

— Alguém que está se escondendo da vida.

39

Ela não vem me ver.

Dois dias se passam, e então três. A dra. Benefield disse que logo poderemos conversar sobre uma alta. Os exames mais recentes mostram que meu cérebro está normal e os ossos da minha perna estão calcificando bem melhor agora que eu não fico inconsciente o tempo todo. Minha mãe está bem animada, mas eu não consigo não me sentir um pouco nervoso.

Tenho medo de que ela não venha a tempo.

No quarto dia, eu desço sozinho para a sala de fisioterapia para me distrair e faço lentamente uma lista de exercícios de força que Henry me deu para fazer sempre que eu estiver a fim.

Faço um intervalo na sétima elevação de perna porque minha mente volta para Marley sentada no café. Ainda consigo ver a expressão de dúvida em seu rosto depois que leu meu bilhete.

Talvez eu possa fazer algo parecido mais uma vez...

Não. Eu sacudo a cabeça e volto a sentar. Eu disse a ela para vir quando estivesse pronta para falar comigo. Se ela ainda não veio, isso quer dizer que ela não está pronta. Ou... quer dizer que todo mundo está certo.

Luto contra o peso no peito, erguendo o braço para agarrar a barra e me por de pé.

Talvez ela *não seja* mesmo a minha Marley.

Eu me mexo para alongar a panturrilha, mas paro quando eu olho pela porta de vidro e vejo...

Marley. Me observando.

Os olhos dela se arregalam e ela se vira, fugindo.

Ou *talvez ela seja*.

Eu tento correr atrás dela, mas minha perna me deixa tão lento que ela já se foi há muito tempo quando eu saio para o corredor.

A dra. Benefield pode ter me deixado largar as muletas, mas eu provavelmente ainda seria vencido por uma tartaruga.

Eu subo para a ala de cardiologia, o elevador irritantemente vagaroso. Quando as portas se abrem, vou mancando até a sala de espera onde eu a vi uma vez, meu coração martelando forte no peito.

Mas a sala está vazia. Nenhum sinal da bolsa dela, seu caderno amarelo ou o livro que ela estava lendo uns dias atrás. Nada.

Eu respiro longamente e me sento desalentado em uma das cadeiras.

Fico ali por um longo tempo, ouvindo o ruído da TV do outro lado da sala, os passos de uma enfermeira ecoando pelo corredor.

Marley estava me observando.

Ela não disse nada, mas estava lá. Parada na porta da sala de fisioterapia. Se ela me achasse um doido, ela nunca iria me procurar. Certo?

Com um suspiro, volto para o meu quarto e desabo na cama, minha perna doendo por causa do tanto que corri. Olho para a janela quando a água bate nela com força cessando completamente no segundo seguinte, para reaparecer um momento depois.

Os irrigadores no pátio. Onde eu a vi pela primeira vez. Eu me levanto e começo a me mover antes que o jato volte.

Vou mancando o mais rápido que posso e passo silenciosamente pela porta de entrada quando vejo a enfermeira responsável conversando no corredor. O ar de fim de verão é quente e grudento. Úmido. O aroma doce das flores que ladeiam a trilha preenche o ar.

A luz do dia está enfraquecendo e os postes se acenderam, emanando um brilho acolhedor e amarelo, muito mais suave do que as luzes florescentes do hospital.

Eu miro em uma figura de cabelo comprido tirando caracóis das plantas encharcadas e levando-as para um banco de pedra. Hesito antes de andar cuidadosamente até ela, mas abro um sorriso quando vejo a expressão concentrada em seu rosto. Parece um *déjà vu*. Uma memória que ganha vida.

— Eu me lembro da primeira vez que te vi fazendo isso — eu digo. Ela não ergue os olhos. — Nós pegamos chuva em nosso canto do lago e no caminho para o carro você parou para tirar todos os caracóis da trilha. Você estava com medo de que alguém pisasse neles.

Ela segue o que estava fazendo, continuamente, como se não pudesse me ouvir.

— Foi um dos primeiros momentos em que eu soube que estava encrencado — eu digo, me lembrando de como ela tinha toda a paciência do mundo, sem deixar passar nenhum caracol. — Eu nunca tinha conhecido ninguém como você antes, Marley. Eu ainda não conheço.

Eu continuo tentando.

— Você me disse uma vez que gosta de falar quando está comigo. Então... *fale* comigo. Pode ser sobre qualquer coisa. Só fale comigo.

Ela move cuidadosamente mais um caracol para longe do perigo, mas quando ela o faz, vejo o colar com a safira rosa no seu pescoço brilhando na luz fraca. Eu quase esqueço de onde estou quando a compreensão me acerta.

Laura.

É por isso que ela não está falando comigo? Talvez... talvez *essa* Marley ainda esteja sofrendo. Abro minha boca para dizer alguma coisa, mas eu não quero pressionar demais. Aquela Marley precisou estar pronta sozinha. Essa Marley também precisa.

Então, sem saber o que mais fazer, eu me inclino para pegar um caracol, tirando-o do caminho da água, enquanto fico em silêncio. Esperando. Torcendo para que ela fale comigo quando estiver pronta.

40

A mãe de Marley folga às quartas e quintas, então eu tento preencher meu tempo até sexta com o máximo de distrações possíveis.

Eu tomo café da manhã com a minha mãe antes dela ir trabalhar, tenho fisioterapia à tarde para fortalecer minha perna e passo as noites com Kim e Sam até ser hora de fechar os olhos de novo.

O lado bom é que a folga da mãe dela me dá dois dias inteiros para planejar uma última tentativa de quebrar o gelo entre nós.

Na quinta à noite, Kim e Sam trazem pizza e nós três meio que assistimos uma reprise de *Parks and Recreation*. Eu estou olhando para o meu notebook, Sam está olhando para Kim e Kim está... Eu levanto os olhos quando ela cutuca meu joelho e bato a tampa do meu notebook surpreso.

Será que estou nervoso?

Eu rio da minha reação e dou um sorriso rápido antes de voltar minha atenção para a TV e agir como se eu já não tivesse visto o episódio do "Li'l Sebastian" oito vezes. Na periferia do meu campo de visão, eu a vejo me observando com os olhos apertados.

Com certeza ela sabe que eu estou aprontando alguma coisa, mas ela não vai me perguntar sobre isso com Sam aqui.

É estranho não ter contado para ele ainda, mas depois do incidente de duas semanas atrás, eu não queria me apressar e contar algo a ele cedo demais, caso tudo acabe sendo só mais uma decepção.

Sorrio para mim mesmo, observando os dois tentando não olhar um para o outro.

Lembro de uma das primeiras vezes que fui ao parque com Marley. A forma como ficamos olhando um para o outro, uma força incontrolável se movendo entre nós. Eu ainda consigo ver o sorriso tímido dela quando nossos olhos se encontraram, ainda que só por um segundo.

Eu estendo o braço e tamborilo meus dedos no notebook com impaciência.

— Bom — Kim diz quando o episódio termina, limpando os farelos de pizza da sua perna. — É melhor a gente ir.

Ela dá um sorriso doce para Sam.

— Quer me levar até o carro?

Nunca tinha visto esse cara se mover mais rápido. Nem mesmo em um jogo de campeonato. Ele está de pé e pronto para ir em menos de um quarto de segundo.

— Vejo vocês mais tarde — eu digo, abrindo meu notebook no segundo em que a porta se fecha.

Por sorte, meu carrinho ainda não expirou. Eu clico nos botões e completo a compra, um símbolo verde aparece na minha tela.

É isso. Minha última esperança.

* * *

Três dias depois, eu me sento em um banco do jardim um pouco antes da hora do almoço e observo as pétalas da cerejeira caírem com suavidade no chão. Uma bruma leve vinda da fonte toca o meu rosto e, quando eu olho para ela, vejo a silhueta familiar sentada na beirada, o cabelo castanho comprido emoldurando seu rosto enquanto ela observa seu reflexo na água.

Marley. Almoçando perto da fonte, bem na hora.

Eu me levanto e ando cuidadosamente até ela, até ver meu rosto refletido ao lado do dela na água, igualzinho como aconteceu no lago.

Ela fecha os olhos, desvia a cabeça, e eu me pergunto se nos ver lado a lado a assusta. Parece surreal para mim também.

— Eu só tenho mais uma coisa a dizer e então, se você quiser, eu vou embora — eu digo, observando pequenas gotas agitando a água. — Eu estou tentando... não ser mais tão controlador. Então se é isso que você quer, eu vou te deixar em paz. Eu prometo.

Respiro fundo, me recompondo, e começo a dizer as palavras que eu finalmente encontrei. Eu não sei se são as corretas, mas são as minhas palavras.

— De todas as pessoas dormindo neste hospital com quem você poderia ter conversado, você me escolheu — eu digo. — Eu preciso acreditar que foi por um motivo. O mesmo motivo pelo qual eu não pude deixar de te ouvir, Marley.

Eu me viro para ela, observando seu perfil. As sardas no nariz. As olheiras em volta dos olhos, agora cansados, o mel que era vibrante na minha lembrança, agora desbotado. Eu quero tirar esse peso dela, mas ela precisa entregá-lo para mim. Eu sei disso agora.

— Era destino nós nos encontrarmos. E agora estamos aqui. Juntos, mas... não.

Eu penso em nós dois rolando na grama do parque, a pipa voando para longe. No nosso beijo embaixo do visco no Festival de Inverno, nas bochechas de Marley rosadas de frio. Penso em como era segurar sua mão, seus dedos presos nos meu.

— Existiu um lugar no qual eu te amava, um lugar que você construiu com as suas palavras e a felicidade que compartilhamos foi tão verdadeira quanto qualquer coisa no mundo real — eu digo, meu coração batendo irregular no meu peito. — Lá a gente se conhecia. Porque nós conversávamos um com o outro. Nós contávamos tudo um para o outro. E eu me apaixonei por você, pelo que há de profundo em você. O que aparece de você nas suas histórias. Aquela Marley... você não pode só tê-la inventado. Eu estou pronto pra começar nossa história de novo, do começo, se você me der a chance de te fazer feliz.

Noto as lágrimas marejando seus olhos, e ela respira para tentar controlá-las.

Eu quero saber o que está passando pela cabeça dela, porque ela está resistindo tanto. Porque ela está se escondendo.

Ela respira fundo, seu peito subindo e descendo.

Finalmente, ela sussurra uma única palavra.

— Não.

Eu fico tão maravilhado de ouvir a voz dela de novo que eu quase não registro o significado. Então meus pulmões se contraem, essa palavra tirando todo o ar de mim.

— Eu não posso — ela acrescenta, sua voz rouca e quase inaudível. — Eu não posso ser feliz.

As palavras dela naquela última noite voltam para mim de uma vez.

Nós não deveríamos ser tão felizes.

— Por que não? — Eu pergunto, tentando manter minha voz firme, como se todo meu mundo não dependesse desse momento.

— Se você realmente me conhece — ela diz, ainda encarando seu reflexo —, então você sabe por que não.

— Laura.

A coisa que a leva para longe de mim cada vez que ela se aproxima.

— Eu entendo quão difícil deve ter sido perdê-la, acredite em mim, mas, Marley...

— Ela morreu por minha causa! — Ela diz, sua voz sumindo. — Eu vi o carro. Eu vi e não consegui me mover. E não a salvei. Eu nem *tentei.* — Ela respira fundo, antes de continuar. — Laura teria me salvado. Ela teria...

Ela emudece e luta contra as lágrimas.

— Então será que a Laura não te salvaria agora? — Eu pergunto a ela, me inclinando para a frente, desesperado para fazê-la enxergar. — Será que ela não te diria pra ser feliz...

— Eu não mereço ser feliz. Eu não mereço nem chorar e me sentir mal por causa de Laura porque, por minha causa, ela não pode sentir *nada* — ela diz, frustrada, ferida. — Então eu não posso te amar, Kyle. Eu não vou.

Essas palavras ecoam na minha cabeça. *Eu não posso te amar, Kyle. Eu não vou.* Ela disse meu nome como se já o tivesse dito um milhão de vezes antes, como se ela me *conhecesse.* Como se ela... já me amasse. Por que ela pode dizer que não me amaria se ela já não quisesse amar?

Só então percebo que os dedos dela estão apertados em volta dos meus. A sensação é tão familiar que eu nem notei quando ela me segurou. Eu só sei que a mão dela segurou a minha.

Eu viro minha palma para cima, entrelaço meus dedos nos dela e eu imploro silenciosamente para que o universo permita que isso dê certo. Por favor, por favor, por favor, faça isso dar certo.

— Eu viajei por muitas estradas em busca desse tesouro perdido, dessa parte de mim — eu digo bem baixinho.

Ela ergue os olhos, assustada, enquanto eu enfio a mão no bolso.

— Mas foi você quem a encontrou e devolveu pra mim — eu digo erguendo minha mão, meus dedos fechados em torno de alguma coisa. — Agora eu quero dá-la a você.

Marley olha da minha mão para o meu rosto, curiosa. Ela baixa os olhos de novo e eu abro lentamente os dedos.

Aninhada no meio da minha mão está uma pérola branca perfeita.

Eu ouço uma curta inspiração quando eu levanto a mão de Marley e coloco cuidadosamente a pérola em sua palma. É demais. Os lábios dela estremecem e a represa rompe. Lágrimas que ela segurou por anos finalmente saem. Eu a envolvo com os braços enquanto seus ombros tremem e ela enfia o rosto no meu peito.

Fico ali sentado, abraçando-a, deixando-a chorar. Eu a mantenho segura enquanto ela sente a dor que nunca se permitiu sentir.

Depois, nós ficamos sentados sob a cerejeira, os olhos dela ainda vermelhos e inchados.

Ela puxa florzinhas do meio da grama, dezenas de pequenos botões que enchem o chão a nossa volta.

— Eu não sei o que fazer agora — ela diz quando seu cabelo cai na frente do seu rosto, ainda protegendo-a, ainda que com fragilidade, de mim e de todo o resto do mundo.

Minha mão toca de leve na dela e o campo magnético entre nós está vivo de novo. De alguma forma, mais forte do que nunca.

— Nós vamos descobrir pelo caminho — eu digo, os olhos cor de mel dela erguendo-se para olhar nos meus. — Eu esperei todo esse tempo por você. Quanto mais devagar formos, mais tempo vai durar. — Eu coloco uma rosa amarela atrás da sua orelha. — E eu estou em paz com isso.

Um traço minúsculo de um sorriso me diz que ela está em paz com isso também.

41

Na noite seguinte nós nos encontramos na sala de espera da cardiologia e Marley me entrega seu caderno amarelo onde estão as histórias.

É tão legal ver a história que ela escreveu para nós, um mundo no qual eu vivi por um ano e que está aqui no papel. Consigo identificar as passagens que meu cérebro preencheu as lacunas, construindo e criando memórias reais a partir de cada uma das suas frases.

Conto para ela sobre essas memórias. Como eu achei que Kim tinha morrido no acidente. Como eu quase fiquei louco tentando fazer o molho bérneaise da minha mãe. Como eu briguei com Sam em um sábado em um dos nossos jogos de futebol.

Os parágrafos sobre a vez que alimentamos os patos no lago arrancam risadas: um pato grande marrom e branco quase arrancou meu dedo enquanto Marley ria, divertida. Eu olho para ela sentada do outro lado do sofá, admirando o leve sorriso em seu rosto. A menina por quem eu me apaixonei.

Real.

Eu analiso as olheiras em volta dos olhos dela, a cortina de cabelo que a esconde do resto do mundo. A tristeza dela é mais pesada agora do que no sonho porque ela me deixa vê-la por inteiro. Ela não se esconde atrás das palavras, escrevendo sobre a pessoa que ela desesperadamente quer ser. Às vezes a escuridão a toma por completo, mas eu consigo ver a Marley que eu conheço escondendo-se dentro das sombras, lutando para sair.

Eu amadureci enquanto estava no mundo de sonhos. Mas eu acho que ela também.

— O pato que quase comeu meu dedo... foi o mesmo que me perseguiu daquela outra vez, não foi?

Os lábios de Marley se viram nos cantos.

— Ele não desistiu até você dar o resto da pipoca para ele. — A perna dela encosta de leve na minha quando ela troca de posição e meu coração acelera. — Aquele pato sempre foi meu favorito.

— Claro que sim — eu rio, e a cutuco. — Você escreveu tudo? — Pergunto, apontando para a página na minha frente. — Tudo que você me contou?

Ela assente, seu dedo tocando lentamente a parte de cima do caderno.

— Eu tentei. Às vezes eu só começava a falar e a história fluía para fora. Eu nem tinha tempo de escrever.

— O que você escreveu sobre quando nos conhecemos? — Eu pergunto, voltando ao início, pensando naquele momento. Fiquei tão preocupado em procurar por certas memórias, que eu nem comecei a ler o caderno da primeira página. — Ele parecia um desastre completo? Lixo sobre duas pernas?

Marley ri e balança a cabeça, a expressão em seus olhos cor de mel me fazendo derreter.

— Não foi isso não.

Volto minha atenção para o caderno, sorrindo, e as palavras dela saltam da página.

Ela o viu e ela soube. Ela soube que ele entenderia.

No dia seguinte, navego devagar por mais uma página de cachorros para adoção, fazendo tudo que posso para focar em um felpudo malamute do Alasca ou um corpulento buldogue, mas o braço de Marley apoiado no meu é a única coisa na qual consigo pensar.

Isso e no fato de que estamos sentados ombro a ombro, encostados na minha pequena cama de hospital, o rosto dela *literalmente* a centímetros do meu. Eu expulso esse pensamento da minha cabeça.

Estamos indo devagar. Controle-se, Lafferty.

Eu paro de descer a página e aponto para uma yorkshire cinza.

Marley desencosta da cama e agarra o iPad, os olhos dela se arregalando enquanto ela passa as fotos.

— Ah, meu Deus. É ela. É a Georgia!

Com certeza é ela. Até as marquinhas nas patas.

— Você gosta dela? — Eu pergunto, olhando a página por cima do ombro dela.

— Ah. — Ela se reclina para trás, murchando como um balão. Eu noto uma tarja vermelha no canto da foto. ADOTADA. — Alguém já a levou.

— Bom — eu digo, dando de ombros. — Talvez ela tenha achado um bom lar.

Marley revira os olhos, como teria feito antes e... parece que nunca estivemos separados. De repente, a eletricidade estala entre nós, exatamente como eu me lembro. Eu consigo sentir que nós dois nos inclinamos de leve na direção um do outro.

Ela hesita, afastando meu cabelo para trás com insegurança, tocando de leve minha cicatriz, a ponta dos seus dedos se demorando suavemente na minha face, minha boca, traçando meus lábios, o toque dela familiar e novo ao mesmo tempo.

Eu prendo a respiração quando ela se inclina mais e nossos lábios estão *quase* se tocando quando a porta se abre.

— Ah, merda, desculpa — Kim diz, da porta.

Marley e eu nos separamos rapidamente.

— Cedo — eu digo, resmungando. — Você chegou cedo.

Eu olho de Kim para Marley, a expressão assustada dela transformando-se em choque quando ela vê o que Kim traz nos braços. A yorkshire do site do abrigo está aninhada nos braços de Kim. No segundo em que a filhote vê Marley, ela começa a latir como louca.

Ela é igual à foto, só que mais bonitinha, e traz um pequenino laço amarelo em volta do pescoço.

Eu tinha passado a tarde toda tentando acertar o laço antes de Kim fazê-lo, declarando que não tinha sido líder de torcida por dez anos para ficar sentada vendo alguém assassinar um laço.

— Ah, droga, eu estraguei tudo, não foi? Merda. Desculpa. — Kim diz e fecha a porta rapidamente, antes que tenhamos problemas, a filhote soltando um pequeno latido.

— Oi, Marley, eu sou a...

— Georgia — Marley sussurra.

— Bom, o.k, é — Kim diz, surpresa. Ela silencia por um instante, apertando os olhos enquanto processa que esse não é seu nome. — Quer dizer... não...

Eu reviro os olhos e sacudo a cabeça para ela. Em todos os anos que nos conhecemos, eu nunca a vi tão nervosa.

É até bonitinho, para falar a verdade.

Eu sorrio e aponto para o cachorro e ela se aproxima também, se recompondo.

Ela se vira para ver Marley e a examina.

— Eu sou a Kimberly — ela diz, esclarecendo que seu nome realmente não é Georgia.

Marley sorri tímida e coloca o cabelo atrás da orelha.

— Eu sei. — Ela olha para nós dois ansiosa.

E Kim, ainda sem saber o que fazer, olha de volta para mim. Então eu aponto para o filhote e sussurro alto:

— Entregue a ela.

— Ah, certo! É. — Ela ergue o cachorro. — Ela é sua.

Marley olha para mim, seus olhos cor de mel cheios de encanto.

Kim coloca Georgia na cama, a pequena filhote escala as pernas de Marley para chegar até ela. Marley funga e limpa uma lágrima.

— Ah, cara — Kim diz, superchateada. — Essa foi uma surpresa terrível. Eu estraguei tudo. Desculpa...

De repente, Marley estende seu braço para além de mim e pega a mão de Kim.

— Foi perfeito — ela diz enquanto Georgia tropeça pelo colo dela, rebolando e dando beijinhos caninos. — Obrigada.

Kim solta um longo suspiro, finalmente relaxando. Ela sorri e olha para a mão de Marley segurando a sua.

— Eu estou feliz por finalmente te conhecer.

— Eu estou feliz... por você estar viva — Marley diz, desconfortável.

Um longo momento se passa e então Kim e eu nos descontrolamos totalmente, lágrimas escorrendo pelos nossos rostos enquanto rimos. Alegre, Marley se junta a nós depois de uma pausa e a pequena Georgia, que não quer ficar de fora, solta um "au!".

Eu passo meus braços em volta de Marley, completamente apaixonado. Eu nunca mais vou deixá-la ir embora.

De repente, há uma batida na porta e nós todos erguemos os olhos e vemos minha mãe e Sam, congelados, ambos sem fazer nenhuma ideia do que interromperam.

Eu sinto Marley nervosa, afastando-se de mim, seus olhos amedrontados. É gente demais, todas ao mesmo tempo. Ela começa a se levantar, mas eu coloco minha mão no seu braço de leve, para acalmá-la.

— Tudo bem — eu sussurro. Os olhos dela encontram os meus e a tensão recua lentamente. Ela se acomoda de novo e olha para minha mãe e Sam, mas fica quieta. — Mãe, Sam — eu digo, um sorriso de um milhão de watts no rosto. — Essa é a Marley.

Parece que eu acabei de contar a eles o que acontece na base secreta Área 51. Eles ficam ali, calados, encarando, dez segundos inteiros. Então minha mãe dá um gritinho e corre para a cama.

Eu estendo os braços, tentando impedi-la, mas não adianta. Ela se joga em cima de Marley, que olha para mim, indefesa, e então para Kim, que dá de ombros de um jeito que diz *só aceite, amiga*.

Então, inesperadamente, Marley passa os braços em volta dela também.

Eu olho para Sam, ainda se recompondo na porta. Ele sacode a cabeça para mim, divertido, e me dá um dos seus sorrisos tortos.

— Você realmente é o filho da mãe mais sortudo...

— Sam! — Minha mãe diz, afastando-se de Marley para dar uma bronca nele.

Ele se encolhe.

— Desculpa, sra. L.

Minha mãe o encara por um longo momento e então... Marley começa a rir. Sua risada é contagiosa e toma o quarto todo até estarmos todos rindo. É uma memória nova formando-se, real e maravilhosa.

42

Na manhã seguinte, logo cedo, já estou olhando as fotos de ontem no meu celular. Georgia bonitinha pra caramba, correndo em volta de todos nós no pátio. Sam e Kim rindo, sentados juntos na beira da fonte. E finalmente uma foto só de Marley, a única que eu tenho. Uma rosa amarela na orelha, a pequena Georgia dormindo no seu colo.

Ela não está exatamente sorrindo, mas está linda.

Ouço uma batida leve na minha porta e eu olho quando ela se abre: é a mãe de Marley, sem o uniforme. Ela me dá uma longa olhada antes de finalmente pigarrear e falar.

— Ela me contou o que você fez.

Meus olhos voam para o calendário colado na parede, embaixo da minha TV, e eu vejo que hoje é quarta. Ela deveria estar de folga.

Opa.

Ela vai até minha cama, suas sobrancelhas se juntando da mesma forma que as de Marley fazem quando ela está chateada.

— Desculpa — eu digo, me sentando. — Eu...

— Ela me *contou* — ela diz, sua voz falhando. — Faz anos... ouvir a voz dela de novo... obrigada.

Ela me abraça e eu sinto uma onda de alívio por ela não estar aqui para me dizer que é mortalmente alérgica a cachorros ou para eu ficar longe de Marley com essa bobagem de sonho. Mas no geral eu fico feliz por Marley ter falado com ela.

— Hum — eu digo quando ela se afasta, secando suas lágrimas. — Isso quer dizer que você não está brava por causa do cachorro?

Ela ri e sacode a cabeça.

— Seria bem difícil ficar brava com uma bebê tão fofa.

Uma hora depois, a turma toda chega, minha mãe, Kimberly e Sam invadem meu quarto com bagels da loja perto da escola. Eles se espalham por todos os espaços possíveis e ainda não é o suficiente. Sam sai do quarto e volta uns segundos depois com uma das cadeiras vazias da sala das enfermeiras.

Mal começo a comer meu bagel com cream cheese quando há uma batida na porta e a dra. Benefield entra.

— Perfeito. A gangue completa — ela diz, erguendo os óculos para a testa. — O que você acha de devolver essa cama? Nós podemos te tirar daqui nos próximos dias.

Eu quase quebro meu pescoço de tanto fazer sim com a cabeça.

Eu olho para o lado e vejo Kim praticamente pulando de felicidade. Eu fico com medo dela estar tão animada que seja capaz de puxar um grito de torcida inteiro bem aqui.

— Maravilha! Primeiro, nós precisamos planejar um jantar. Com a Marley — minha mãe diz, já fazendo planos. — E eu vou tentar me controlar. Eu não vou, você sabe, ser eu mesma. Não quero ser demais logo no início…

Eu a interrompo, sacudindo a cabeça.

— Seja você mesma, mãe. Você é ótima.

Ela me dá um grande abraço e beija minha cabeça, logo embaixo da cicatriz. O rosto dela fica sério.

— Me desculpa por não ter acreditado em você.

Eu sorrio para ela e dou de ombros.

— Eu provavelmente também não teria acreditado.

Minha mãe se vira para Kimberly, radiante.

— E *você,* sua cobrinha.

— Contrabandear um cachorro para dentro de um hospital foi foda — Sam diz, orgulhoso, congelando quando a dra. Benefield ergue as sobrancelhas surpresa.

— Eu não vou perguntar nada — ela diz, voltando sua atenção para mim, um sorriso sábio no rosto. — É só disso que as pessoas estão falando essa manhã. — Ela diz, apontando a porta com a cabeça. — Parece que sonhos viram mesmo realidade.

Eu sorrio também. Parece que sim.

43

No dia seguinte, Sam dá uma passada aqui de tarde e nós dois vamos passear juntos pelo pátio. Os passos dele, normalmente longos, são curtos, e assim ele acompanha meu ritmo vacilante enquanto seguimos devagar na direção do carvalho.

Eu paro, tiro uma foto da rosa amarela e acrescento um "oi" antes de enviar para Marley.

— Ah, cara, você está perdido.

Eu sorrio e dou de ombros.

— Eu que estou? E você não?

Mas Sam não morde a isca. Em vez disso, ele finge estar segurando um celular e imita minha pose de selfie.

Eu o empurro de brincadeira e meu celular vibra alto no meu bolso. Eu o pego, atendo a ligação e fico desviando de Sam que está tentando pegar meu telefone.

— Alô. Oi. Ei — eu digo enquanto tento afastá-lo. — O que você está fazendo?

— Eu estou no parque — Marley diz com sua voz suave.

— Brincando com a Georgia.

— Posso ver? — Eu pergunto, dando uma cotovelada em Sam antes que ele tenha a chance de dizer alguma bobagem para Marley.

— Hum... — ela diz, hesitante.

— Tudo bem. Não precisa...

— Não, tudo bem — ela diz e a ligação passa para vídeo, o rosto dela surgindo na frente das árvores altas e da grama do parque. Ela foi ao cemitério falar com Laura nesta manhã e parece estar bem. Eu analiso seu rosto quando ela coloca o cabelo atrás da orelha.

Parece que foi tudo bem. Eu quero perguntar a ela sobre isso, mas...

Sam.

A cabeça dele surge no vídeo e ele sorri e acena para ela. Eu o tiro do caminho, sorrindo.

— Ignore o Sam — eu digo e Sam faz um bico, espiando a tela, confortavelmente fora da vista dela. — O que ela está fazendo? Me mostra.

Marley vira a câmera e mostra algumas crianças brincando com Georgia na grama do parque, a pequena filhote perseguindo uma bola de tênis grande demais para a boca dela.

— Elas são tão fofas — Marley diz quando uma das crianças a pega no colo e elas começam a brincar de bobinho. A língua de Georgia está para fora enquanto ela corre entre eles.

— Olha só ela — eu digo, notando o quanto senti saudades dessa bolinha de energia. — Você está sozinha?

A câmera se vira e o rosto dela reaparece, seus olhos esverdeados brilhando no sol da tarde.

— Minha mãe está aqui comigo. Ela está alimentando os patos, ela diz, com um olhar cúmplice.

— Pipoca — nós falamos ao mesmo tempo.

— Falando em mães — eu digo, casualmente desviando a conversa. — Só uma coisa pra você começar a pensar. Sem pressa, é claro — eu esclareço rápido. Eu ainda não tenho certeza do que é demais. — Minha mãe realmente quer chamar você para jantar e…

Eu congelo quando vejo que Marley rapidamente desvia o olhar da tela com os olhos arregalados de horror, mas não por causa da perspectiva de um jantar.

— Georgia! — E a câmera sai da cara dela. Por uma fração de segundo, eu vejo a bola quicando na direção da rua e Georgia correndo atrás dela. Marley dispara atrás dela.

— Marley! O que você está fazendo? — Eu grito, o cenário ficando embaçado em volta das pernas dela, ela está segurando o celular enquanto corre.

Um pânico gelado e familiar corre por mim.

Então, subitamente, o movimento para e a câmera sobe, mostrando Marley na beira da calçada, a rua atrás dela, Georgia aninhada na segurança dos seus braços.

— Peguei. Quase perdemos nossa menina…

Mas atrás dela, eu vejo a bola no meio da rua e um menininho correndo na direção dela.

— Joey, cuidado! — Uma voz grita de algum lugar fora do quadro.

A cabeça de Marley se vira para trás e ela vê o menininho. Os olhos dela voltam para mim por uma fração de segundos, a expressão neles me enchendo de horror.

Eu sei exatamente o que ela vai fazer antes mesmo que ela saiba.

— Não! — Eu grito, tentando impedi-la. — Mar…

O telefone cai das mãos dela e a tela se enche do verde da grama. Eu ouço pneus cantando e, então, o som dos gritos das crianças.

— Marley! — Eu grito, me sentindo impotente. — Marley!

Eu manco de volta para dentro o mais rápido que posso, odiando essa maldita perna lenta. Sam já saiu correndo na minha frente. Assim que entramos, eu sou forçado a sentar numa cadeira de rodas. Sam se inclina sobre mim, me olhando bem no rosto.

— Pare de gritar, Kyle. — Eu estou gritando? Minha garganta está áspera. Seca. Sim, eu estou gritando com certeza. Mas não consigo parar. Marley precisa de ajuda. Eu preciso conseguir ajuda. Eu luto contra as mãos que me seguram na cadeira, mas antes que eu possa me levantar de novo, eu sinto uma picada e tudo fica escuro.

44

Desperto na cama do hospital, ainda gritando o nome dela.

— Não! Marley...

Mãos agarram os meus braços e eu vejo Kim, minha mãe e Sam, todos eles bloqueando a passagem.

— Kyle — Kimberly diz, tentando me impedir de sair da cama, mas eu me solto dela e tento andar, minha perna doendo. — Calma. Espera. *Kyle.*

Eu preciso vê-la. Eu preciso chegar até Marley. Sem mais esperas. Não de novo.

Eu passo por Kim e minha mãe corre na direção da porta, pedindo ajuda. Sam chuta uma cadeira para fora do meu caminho um segundo antes de eu trombar com ela. Eu quase chego ao corredor quando uma enfermeira entra com uma seringa na mão bloqueando a passagem.

— Vou precisar te sedar de novo? — Ela pergunta.

— Onde ela está? Onde...?

Isso não pode estar acontecendo de novo.

Sou forçado a sentar em uma cadeira e Kimberly se ajoelha na minha frente, pegando minha mão.

— Para com isso.

Eu encaro sua expressão de sinceridade com raiva. Por que todo mundo está me mandando esperar? Por que eles estão aqui comigo quando deveríamos estar todos com ela?

— Eu preciso que você me escute.

Eu engulo o impulso de correr e foco nos olhos azuis dela, tentando me recompor. Eu faço que sim, querendo que ela continue logo.

— Ela salvou o menino. Ela o salvou e ela está viva, mas...

— Nós não sabemos por quanto tempo — uma voz diz na direção da porta. Eu viro minha cabeça e vejo a dra. Benefield, seu rosto sério, uma touca cirúrgica em uma das mãos. Nossos olhares se encontram e ela aponta o corredor com a cabeça. — Venha comigo.

Eu a sigo, mas tudo está embaçado. As luzes brilhantes, o azulejo branco e as paredes claras são uma imagem só. Eu ouço os passos de Kim, Sam e minha mãe nos seguindo de perto.

Ela para em frente a uma porta e olha para mim antes de abri-la devagar.

Eu entro, com medo de olhar. Com medo de ver Marley ferida. Morrendo.

A mãe dela está sentada ao lado da cama, seus olhos fixos no monitor cardíaco, como se ela o estivesse movimentando só com sua vontade. O *bip, bip, bip* constante é o único som no quarto.

Eu engulo em seco, me forçando a desviar os olhos de Catherine para a cama e minhas pernas quase desmontam. Ela parece tão pequena. Vencida. Eu travo o maxilar quando meus olhos notam todos os hematomas e arranhões no corpo dela, vejo o curativo em volta da sua cabeça e seus olhos fechados.

— Me desculpa — é o que consigo dizer e a mãe dela olha para mim. *Georgia*. — Foi culpa minha...

Catherine sacode a cabeça e pega a minha mão.

— Não. Nada disso. Foi assim que acabamos aqui — ela diz, apertando meus dedos de leve. — Não faça isso com você.

Ela desvia o olhar para o monitor e foca na batida constante do peito de Marley.

— Ela vai acordar, certo? — Eu pergunto, dando um passo na direção da cama, com medo de ouvir a resposta.

— Isso é com ela — a dra. Benefield diz atrás de mim. — Ela já deveria ter acordado.

O quê? Então por que ela não está acordada?

Eu olho para a ela, deixando transparecer a confusão que sinto por dentro.

— Ela bateu a cabeça, mas o sangramento foi leve e os exames não mostram nenhum trauma significativo — a dra. Benefield diz, apoiando os óculos na testa. — Ela deveria estar acordando, mas parece que ela não quer.

Catherine começa a chorar ao meu lado e solta a minha mão para cobrir o rosto.

— Às vezes a escolha entre viver ou morrer é nossa — a dra. Benefield diz, desviando os olhos de mim e observando Marley. — Marley não está lutando.

A escolha entre viver ou morrer. Eu vejo as olheiras escuras em volta dos olhos dela, suas palavras ecoando alto na minha cabeça.

Ela morreu por minha causa.

Eu não mereço ser feliz.

Laura.

Mas eu também escuto outras vozes. As coisas que ouvi enquanto eu estava dormindo e que me fizeram seguir lutando, que me fizeram aguentar.

Não esqueça.

Sempre para a frente. Nunca pra trás.

Eu dou um passo na direção dela, sabendo que de jeito nenhum eu vou deixar Marley ir embora assim. Não é assim que a história dela termina. Não pode ser.

Eu pego a mão dela. Seus dedos estão gelados, moles, como se ela já não estivesse aqui.

— Eu não vou deixar você ir embora — eu sussurro. — Eu disse que as histórias tristes acabaram. Isso serve para os dois lados, você sabe. — Eu tento brincar, mas minha risada sai mais como um engasgo. Eu aperto mais a mão dela, tentando esquentar os dedos gelados.

Como ela fez isso? Como ela...? Ah. Sim. Eu escuto as palavras dela naquele primeiro dia no cemitério.

Eu chego mais perto, meus lábios em seu ouvido.

— Era uma vez uma menina que estava triste e sozinha.

Uma onda de eletricidade corre pelo meu corpo. Talvez, só talvez, eu possa fazer isso. Talvez eu possa fazê-la me ouvir. Acreditar em mim.

— Ela contava histórias. Histórias felizes — eu digo, imaginando aquele caderno amarelo surrado cheio das coisas que ela escreveu, sem saber onde o conto de fadas terminava e as nossas memórias começavam. Mas não importa. Para mim, era tudo real, cada página é uma parte da minha vida com ela.

Eu não vou desistir até recuperar essa vida, até recuperar Marley, e eu sei que isso começa *aqui*.

— Mas, pra si mesma, ela só contava a mesma história triste, o tempo todo.

Marley não se move. Nenhum tremular de cílios, nenhum espasmo nos dedos, nada. Eu aproveito a deixa do bip constante do monitor e me incentivo a continuar.

— Até que ela conheceu um menino. Eles se encontraram quando acharam que suas histórias tinham terminado. Mas eles começaram a escrever uma nova e, pela primeira vez em muito tempo, a menina permitiu que sua história fosse feliz. Sua história com ele. E ele prometeu a ela... que nunca a abandonaria.

Outro formigamento passa pela minha testa, ao longo da cicatriz. Os dedos dela estremecem muito de leve nos meus... ou estou só imaginando?

Eu penso no homem na lua, na menina que deseja o amor. Eu fecho meus olhos e deixo que a história me carregue até ela, até a menina que eu sei que está esperando por mim, perdida em algum lugar de uma história que é nossa, só nossa.

De repente, por trás dos meus olhos fechados, eu vejo patos grasnando alto aos meus pés, rebolando pela trilha para se aninharem embaixo de cerejeiras com pétalas caindo. Eu olho em volta. É o *nosso* mundo, meu e de Marley, mas ele tem um tom diferente agora, como se estivesse coberto por uma gaze azul-escuro. O ar está sinistro, pesado. Meu coração bate alto no peito. Isso não está certo. Essa não é a nossa história, não a que estávamos construindo juntos.

Onde está Marley? Eu preciso encontrá-la. Agora.

Eu corro pela trilha que leva ao cemitério. É lá que eu vou encontrá-la, no túmulo de Laura, onde nos encontramos pela primeira vez.

Eu vejo um mar de lírios cor-de-rosa ao longe e a visão me impele para a frente. Eu disparo e parte de mim sabe que eu não posso correr tão rápido, não com essa perna, mas aqui, nesse mundo, eu estou inteiro. Minhas pernas voam, agora mais rápido, me carregando para o mar de rosa infinito que se estende muito além do túmulo da sepultura de Laura.

— Marley! — Eu corro direto para a onda de lírios.

Afasto as flores, procurando. Ela não está aqui. Mas... Ela precisa estar. É o único lugar para onde ela iria.

Continuo avançando pelas flores, chamando Marley freneticamente, até que de repente eu saio do outro lado do campo florido. *Onde estou?* É mais escuro aqui, mais cinza, uma névoa grossa e ampla grudando no chão. É o cemitério, mas... diferente.

Então eu vejo a lápide vazia, sozinha e desolada, pronunciando a palavra dolorida: ADEUS.

Deus, eu me lembro desse túmulo. Ele partiu meu coração quando o vi, tanto que eu coloquei uma flor em sua lápide. Eu pisco, sem saber se meus olhos estão me enganando.

A flor ainda está ali, exatamente onde eu a deixei.

Eu me aproximo para pegá-la. A dor me cobre como uma nuvem escura. Quase imediatamente, ela me preenche, o vazio bruto da perda me tomando enquanto eu olho para a flor.

Então eu a escuto. Uma respiração. Um choro baixo e entrecortado. Marley.

Ela está inclinada para a frente. Suas costas estão apoiadas em cima da palavra na lápide.

ADEUS.

Uma percepção me inunda. Essa não é só uma lápide triste. É a lápide de *Marley*. Toda vez que passávamos por ela, sorrindo, dando risada, ela estava bem ali. *Esperando* por ela. *Atraindo-a*. E eu não tinha ideia.

Não! Eu caio de joelhos diante de Marley, determinado a fazê-la me ouvir.

— Não assim, Marley — eu digo a ela. — Esse não é o seu destino. Esse não é o fim da sua história.

Meus braços a buscam, mas ela se afasta.

— Só me deixe em paz.

— Não. Não vou te deixar em paz. Você me convidou pra conhecer seus segredos mais escondidos e, Marley, essa não é você. Esse lugar, essa *versão* de você, é uma mentira. Eu sei como você é de verdade. Não é assim.

Quando eu falo, tudo ao redor parece ouvir e absorver a história que estou contando. O céu luta contra a escuridão, ficando mais claro acima de nós. O verde explode no chão embaixo dos nossos pés, uma grama verdejante cobre todo o cemitério. Flores brotam e se abrem. É o nosso mundo de novo.

— *Essa* é a nossa história, Marley. É a esse lugar que você pertence. Ao nosso lugar, que construímos juntos. — Eu digo, certo de que ela está me ouvindo.

Eu a puxo para perto e por um momento ela apoia sua linda cabeça na minha, o cheiro de jasmim fazendo cócegas no meu nariz. *Sim.*

Então ela diz em uma voz baixa e ferida.

— Eu não fui feita pra esse mundo.

O quê? Eu ergo o queixo dela com a mão e puxo o rosto dela na direção do meu e digo as palavras que eu sei que são mais verdadeiras que qualquer outra:

— Você foi feita pra *mim*. Volte pra mim. Deixa eu te mostrar pra onde nossa história pode ir…

Imagens aparecem a nossa volta, como polaroides:

Uma formatura, Marley atirando seu capelo para o alto com um sorriso largo.

Marley e eu em direção ao altar, a cauda do seu vestido de noiva atrás de nós.

Marley autografando livros, uma fila de crianças animadas para conhecê-la.

Nós dois no quarto de um bebê. Marley ninando nossa filha recém-nascida.

Mais imagens pipocam. Crianças crescendo. Festas de aniversário. Churrascos. Peças na escola. Jogos de futebol.

Os olhos de Marley observam todas elas, o semblante esperançoso. *Esperança.* Eu posso trabalhar com isso.

— Essas são memórias esperando pra acontecer — eu prometo a ela. — Você criou esse lugar escuro porque você acha que é isso que você merece. Não é, Marley. Você merece uma vida boa. Uma vida feliz. Eu prometo tentar todo dia te dar isso, construir isso *com* você, juntos.

Eu me aproximo mais, deixando só um sopro de espaço entre nós. Ela vai fechar esse espaço? A escolha é dela. Eu fecho meus olhos e espero, torcendo e rezando para ela ter me ouvido. Então eu sinto os lábios dela nos meus. O alívio me deixa tonto.

Eu a beijo de volta, então abro meus olhos e fico surpreso ao ver que ela está chorando, lágrimas escorrendo pelo rosto.

— Marley? O quê...

Uma luz surge atrás de mim. Eu sinto seu calor na minha roupa quando ela banha o rosto de Marley. Ela encara a luz e um soluço escapa dos seus lábios.

O pavor sobe de novo pela minha nuca quando eu me viro e vejo o que Marley vê.

Ali, parada bem na frente do grande canteiro de lírios, está Laura.

Ela está iluminada por alguma luz sobrenatural, parada no meio de um círculo brilhante, como o sol durante um eclipse. Ela ergue a mão como se fosse pegar alguma coisa. Com um sentimento profundo, eu sei exatamente o que ela quer alcançar.

Marley.

Marley sai dos meus braços.

— Não. Marley, não. Não faça isso — eu imploro, todo o ar dos meus pulmões saindo com essa súplica. — Por favor, Marley. Fica.

Ela ergue os olhos para me encarar, o esverdeado iluminando a cor de mel como fogos de artifício. Eu observo bem, tentando memorizar seu rosto e seus olhos, porque eu estou morrendo de medo dessa ser a última vez que eu vou vê-la.

Ela sabe o que eu estou pensando. Seus dedos traçam a minha cicatriz, minhas sobrancelhas, minhas bochechas, e pousam nos meus lábios.

— Eu te amo, Kyle Lafferty — ela sussurra com fervor.

— Eu vou te amar pra sempre. Nossa história vai viver pra sempre.

Ela pressiona os lábios contra os meus e então diz:

— Mas eu preciso fazer isso.

Ela se afasta de mim novamente.

— Não!

Eu tento correr atrás dela, mas meus pés não me obedecem. Eu observo, impotente, ela caminhar na direção de Laura.

— Marley, pare. Você *não* precisa fazer isso. Fica comigo! Marley!

Minhas palavras saem na forma de um choro áspero e entrecortado. Ela se aproxima de Laura e pega sua mão estendida. Eu quero fechar os olhos para não precisar vê-la indo embora, mas não consigo. Se esse é meu último momento com ela, eu quero que meus olhos estejam abertos. Eu quero ver.

Marley olha de volta para mim, lágrimas escorrendo pelo seu rosto, como se ela pudesse ouvir meu coração se partindo. Mas então ela olha para Laura, que passa um braço pela sua cintura.

Marley, minha Marley, me dá um último sorriso... e parte com Laura para dentro dos lírios.

— Não! — O grito que sai da minha garganta soa bestial.

Meu berro ecoa a minha volta até se tornar o som do monitor do hospital. Eu estou aqui, ao lado da cama de Marley, minha mão em volta da dela. Eu olho para todo mundo, todos eles esperando desesperadamente por boas notícias, mas eu não tenho nenhuma.

— Ela... ela não vai voltar.

— Não — Catherine corre para a cama, passando a mão no rosto de Marley. — Marley, querida. Acorde agora mesmo!

Mas a menina na cama não se move.

Kimberly cobre a boca com a mão e apoia a cabeça no ombro de Sam, ambos me olhando com tanta pena e amor que eu preciso desviar o rosto.

Eu sinto a mão da minha mãe no meu ombro, me oferecendo qualquer força que ela consiga me dar.

E então o monitor faz *biip... biip.... biiiiiiiiiiiiiiiip...*

Uma linha reta.

O grito angustiado de Catherine nos corta e o som se acomoda nos restos destroçados do meu coração.

Marley. Se foi.

A dra. Benefield nos afasta da cama e começa a declarar uma emergência. Mas... ela hesita. Catherine grita:

— Faça algo! Você tem que...

A dra. Benefield ergue a mão em um gesto tão seguro e confiante que todos nós congelamos. Ela aponta com a cabeça na direção da cama, para a mão de Marley...

...e vemos que o sensor, que estava em seu dedo, agora está na palma de sua mão, seus dedos fechando em volta dele enquanto nós observamos incrédulos. Meus olhos voam para o seu rosto, e eu tenho medo da esperança.

Então suas pálpebras estremecem e se abrem, aqueles lindos olhos cor de mel buscando os meus e encontrando-os.

— Eu precisava me despedir. Da Laura.

Meus joelhos cedem e eu desabo na cama.

Catherine cobre o rosto dela de beijos. Marley a olha longamente.

— Eu voltei, mãe. Eu voltei.

Todo mundo no quarto desaba. Até a dra. Benefield, a médica durona, se vira para secar as lágrimas. Eu daria risada, se eu tivesse espaço dentro de mim para sentir algo além de alívio e gratidão.

Marley olha pra mim e eu memorizo todos os traços que eu temi nunca mais ver de novo. Ela pega minha mão.

— Eu precisava me despedir da minha vida com Laura... antes de poder começar minha vida com você.

A vida dela comigo. Nenhuma palavra nunca foi tão doce. O aroma suave de jasmim da pele dela me deixa tonto. *Ela está aqui. Ela realmente está aqui.* Meus lábios se abaixam e flutuam acima dos dela por um segundo e eu agradeço a qualquer ser superior que iluminou o céu para me dar essa segunda chance.

Marley preenche a distância e me beija. É o beijo mais perfeito do mundo.

— Obrigado — eu sussurro. — Obrigado por não desistir.

Os dedos dela descem pelos meus cabelos até a minha nuca enquanto ela diz:

— Obrigada pela nossa história.

— Nossa história. O que acontece agora, então? — Eu a provoco, ainda incapaz de processar minha alegria.

Ela me olha como se eu tivesse feito a pergunta mais idiota do mundo.

— Nós vivemos felizes pra sempre — ela responde. — Óbvio.

Eu rio.

— Igual aos seus contos de fada? — Eu pergunto.

Ela me dá aquele sorriso doce e tímido que eu tanto amo e toca minha orelha com seus lábios quando sussurra:

— Sim. Exatamente assim.

Os lábios dela me puxam de novo e eu sou tomado por tudo que aconteceu, do rangido do metal até a expressão nos olhos cor de mel de Marley na primeira vez que eu disse que a amava. Minha respiração falha e eu sei que essa não vai ser a última vez que eu verei aquela expressão. Nós teremos mais um milhão de momentos como aquele, toda uma história para vivermos juntos.

Começando agora.

FIM

UMA PALAVRA DA MIKKI

Uma vez me disseram para parar de acreditar em contos de fadas. Me disseram que apenas os sonhadores mantêm suas cabeças nas nuvens e seus olhos nas estrelas. Me disseram que amor verdadeiro era coisa de livros e filmes, que a vida iria me ensinar que nada disso existia no mundo real.

Eles não podiam estar mais enganados.

Minha crença em contos de fadas e no amor verdadeiro me sustenta; me mantém viva em um mundo que nem sempre recebe bem os sonhadores e, embora meus pés nunca saiam do chão, meu olhar está sempre no céu, lá em cima, e no universo além dele.

Como a maior parte das minhas histórias, *Todo esse tempo* veio de um lugar profundo em mim, um lugar que habito quando estou vivendo no meu coração e não na minha cabeça.

Um lugar de mágica, sonhos e fantasias, onde minhas histórias ganham vida e meus personagens falam comigo com vozes claras e vibrantes.

Esse lugar, esse mundo interior, é a minha realidade. É o lugar ao qual pertenço e é onde eu floresço. Nesse lugar, eu encontrei a minha Marley; eu amei a minha Marley. Eu amei Kyle. Eu encontrei Will e Stella, Poe e Barb. E eu os amei também. Muito. Eu conheci o amor verdadeiro e a dor verdadeira. São essas coisas que fazem a vida valer a pena, as coisas que constroem histórias que valem a pena ser contadas.

A escolha de contar *Todo esse tempo* como uma espécie de conto de fadas foi fácil. Como as que Marley conta para Kyle, nós vivemos nossas vidas contando histórias, construindo-as pelo caminho.

Às vezes, essas histórias são momentos pequenos e cotidianos: dobrar a roupa limpa com nossos pais, dar pipoca aos patos em um lago tranquilo.

Às vezes, as histórias são tão grandes que consomem nossa imaginação e nosso coração: o homem na lua que sorri para a garota que deseja o amor. Um menino que conhece seu amor verdadeiro em um coma e acorda com a missão de encontrar essa menina e viver feliz para sempre.

Eu acredito em todas essas coisas.

O homem na lua? Ele está lá. Eu sei que está. A ideia de duas pessoas se conectando em um mundo feito de histórias e sonhos e de alguma forma encontrarem sua alma gêmea? Pode acontecer. Eu tenho certeza disso.

Essas histórias, esses conceitos, são tão verdadeiros para mim quanto a grama verde, o céu azul e o ar que respiramos.

Me chamem de louca. Me chamem de alucinada. Me chamem de sonhadora. Estou em paz com isso. Eu apenas sou grata por vocês terem escolhido me encontrar aqui, no meu mundo, e por terem me permitido compartilhar minhas histórias, porque eu sempre vou acreditar em contos de fadas.

Eu sempre vou acreditar no amor verdadeiro. Nem tentem me impedir.

AGRADECIMENTOS

Escritores começam com uma ideia – uma semente. Nós plantamos essa semente no solo fértil das nossas imaginações. Nós a aquecemos com o sol do comprometimento e a regamos com amor e paciência. Então nós deixamos que ela brote e cresça, comemorando quando ela cresce e se torna um ser único.

O que nem sempre é reconhecido é o exército de jardineiros e vigias sempre a postos para arrancar ervas daninhas e enxotar pestes até que a flor esteja no seu auge, pronta para ser compartilhada.

À Liz Parker, minha agente incrível e meu braço direito. Obrigada por batalhar, em meu nome, contra as intempéries. O vento e a chuva podiam muito bem ter virado um belo tornado e levado consigo nosso árduo trabalho. Obrigada por ter aguentado o impacto do frenesi.

À Alexa Pastor, nossa editora de confiança. Obrigada por podar, limpar e moldar a folhagem. Sem sua mão como guia, nosso jardim não teria evoluído para a linda paisagem que se tornou. Obrigada!

Rachael! Rachael, Rachael, Rachael. Obrigada por mais uma vez cavar fundo comigo. Buscar água e adubar é um trabalho duro. Eu fico feliz por não ter precisado fazer isso sozinha. Obrigada por mais uma vez adaptar lindamente um dos meus roteiros ao formato de livro. Eu te amo, senhorita. De verdade.

A Scott Whitehead, meu advogado, que mantém os galhos dos negócios fora do caminho para que eu possa focar apenas na arte. Obrigada por sempre cuidar de mim.

À equipe do "filme": David Boxerbaum, Adam Kolbrenner, Sara Nestor e todo o pessoal na Verve, Lit e MWF. Vocês colocaram essa bola em campo anos atrás quando contrataram essa escritora ainda imatura e desconhecida. Obrigada, obrigada, obrigada por sua fé e crença. Eu amo todos vocês.

E por último, mas nunca, nunca menos importante... a Tobias Iaconis. Você é o grande carvalho que protege todos os jardins que construímos. Embaixo dos seus galhos protetores eu sei que estou segura para plantar, brincar e sonhar o quanto quiser, porque você vai cuidar de mim. Ampersand para sempre — &&&.

Mikki

Obrigada, primeiramente, à minha editora, Alexa Pastor, que conduziu a equipe do início ao final, atravessando chuva, gelo e o fogo do inferno. Sigo encantada por você. Que você possa comemorar com uma bandeja de *pizza rolls*.

À Mikki, por ter confiado *Todo esse tempo* para mim, algo tão desejado por ela por tanto tempo. Essa é a sua história. Obrigada por me permitir viver nela por um tempo.

Eu sou mais do que grata a Justin Chanda, Julia McCarthy, e ao resto da equipe incrível da Simon&Schuster. Eu me sinto profundamente sortuda por poder trabalhar com um grupo tão maravilhoso de pessoas.

Agradecimentos enormes à Rachel Ekstrom Courage e à minha agente, Emily van Beek, da Folio Literary, por todo o tempo e todo o cuidado que vocês investem em mim e na minha escrita.

E também à Siobhan Vivian, pelos conselhos, orientação e pelo curso "Escrevendo Literatura Jovem" 1 (e 2!) na Universidade de Pittsburgh.

À minha parceira no crime, Lianna Rana, e a Ed, Judy, Mike, Luke e Aimee pelos jantares de família, jogos de Dominion e férias bem no meio de um prazo de entrega.

Eu sou especialmente grata à minha mãe, que sempre me apoiou em tudo que fiz. Eu te amo.

E, finalmente, à Alysson Derrick, por tornar o "e foram felizes para sempre" tudo que uma garota poderia querer.

Rachael

OBRIGADO!

Gostou?
Vire a página para conhecer o primeiro
livro das autoras de *Todo esse tempo*

O *best-seller* inspirado no emocionante sucesso de bilheteria com Cole Sprouse e Haley Lu Richardson

Stella Grant não é uma adolescente comum. Por conta da fibrose cística, doença crônica que impede que seus pulmões funcionem como deveriam, ela vive a maior parte do tempo no hospital, seguindo à risca seu tratamento na esperança de conseguir um transplante. Já Will Newman (Cole Sprouse), também portador da doença, não acredita mais na cura e quer aproveitar a vida ao máximo. Apesar das diferenças, a conexão entre os dois fica cada vez mais forte, bem como a vontade de se aproximar. Mas as regras são claras – pacientes devem manter uma distância de seis passos entre si para evitar infecções. E se as regras pudessem ser quebradas? Cinco passos são tão perigosos quanto perder um grande amor?

Confira nossos lançamentos,
dicas de leituras e
novidades nas nossas redes:

 @editoraAlt

@editoraalt

www.facebook.com/globoalt

CPSIA information can be obtained
at www.ICGtesting.com
Printed in the USA
BVHW081341130921
616672BV00004B/267